위대한 복음

1

THE **RESCUE BEGINS**

THE GOSPEL PROJECT®

The Gospel Project for Kids

is published quarterly by LifeWay Christian Resources,
One LifeWay Plaza, Nashville, TN 37234, Thom S. Rainer, President

가스펠 프로젝트

신약 1

위대한 복음

저학년 교사용

지은이 · LifeWay Kids
옮긴이 · 안윤경
감수 · 김병훈, 류호성, 김정효

초판 발행 · 2018. 4. 23
5쇄 발행 · 2023. 3. 29
등록번호 · 제1988-000080호
등록된 곳 · 서울특별시 용산구 서빙고로65길 38
발행처 · 사단법인 두란노서원
영업부 · 02) 2078-3352, 3452, 3752, 3781 FAX 080-749-3705
편집부 · 02) 2078-3437
활동연구 · 김찬숙, 박현진, 이경선, 이다솔, 한승우, 홍선아

책값은 뒤표지에 있습니다.
ISBN 978-89-531-3094-4 04230 / 978-89-531-3128-6 (세트)

홈페이지 · gospelproject.co.kr / **두란노몰** · mall.duranno.com

두란노서원은 바울 사도가 3차 전도 여행 때 에베소에서 성령 받은 제자들을 따로 세워 하나님의 말씀으로 양육하던 장소입니다.
사도행전 19장 8-20절의 정신에 따라 첫째 목회자를 돕는 사역과 평신도를 훈련시키는 사역,
둘째 세계선교TIM와 문서선교단행본 · 잡지 사역, 셋째 예수문화 및 경배와 찬양 사역, 그리고 가정 · 상담 사역 등을 감당하고 있습니다.
1980년 12월 22일에 창립된 두란노서원은 주님 오실 때까지 이 사역들을 계속할 것입니다.

차례

이렇게 활용해 보세요!

① 단원 개요 · 각 과의 목표

- '가스펠 프로젝트'(하나님의 구원 계획)의 연대기적 큰 흐름 속에서 각 단원과 각 과의 주제를 살펴봅니다.

DVD **카운트다운** 단원별로 제공되는 3분 카운트다운 영상(지도자용 팩)으로, 장소를 옮기거나 시간을 구분 짓는 방법으로 활용할 수 있습니다.

DVD **무대 배경** 단원별 설교의 도입(들어가기)에서 공통적으로 활용할 수 있는 무대 데코 아이디어로, 배경 이미지(지도자용 팩)를 화면에 띄워 사용할 수 있습니다.

단원 암송 단원의 핵심 메시지가 담긴 성경 구절입니다.

성경의 초점 본문과 관련된 성경의 중심 주제(핵심 교리)를 문답 형식으로 정리한 문장입니다. 단원별 성경의 초점을 익히며 성경의 흐름을 이해하게 합니다.

주제 각 과의 핵심 줄거리를 파악할 수 있습니다.

가스펠 링크 성경 이야기에 담긴 복음을 발견하게 합니다. 모든 성경 이야기는 그리스도와 연결됩니다.

본문 속으로 각 과를 준비하며 묵상할 내용과 티칭 포인트를 제시합니다. 청장년용 《가스펠 프로젝트》로 교사 소그룹 모임에서 더 깊은 묵상을 나누며 성경 읽기를 병행할 것을 권유합니다. 부모 소그룹 모임은 교회와 가정을 연계해 교육 효과를 더욱 높여 줄 것입니다.

교사 지도 가이드 영상 교사들이 각 과의 내용과 아이들에게 전달해야 할 핵심을 쉽게 파악할 수 있도록 짧은 예시와 함께 개요를 소개하고 교사를 독려합니다. 홈페이지(gospelproject.co.kr)에서 무료로 활용할 수 있습니다.

② 말씀 묵상

- 말씀을 묵상하며 어떻게 가르칠 것인가를 기도로 준비합니다.

DVD **이야기 성경** '가스펠 설교'에서 사용하는 구어체 설교입니다. 같은 내용의 영상이 지도자용 팩에 있습니다.

교사를 위한 기록장 말씀을 가르치기 전 교사가 발견한 메시지를 기록하며 말씀을 내면화하도록 돕습니다.

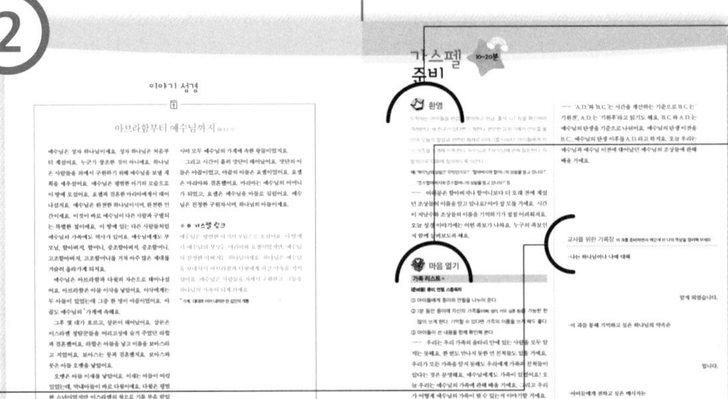

환영 아이들을 맞이하며 나눌 수 있는 대화의 소재를 제안합니다.

마음 열기 이 과의 주제와 연결된 간단한 게임 활동을 소개합니다.

③ 가스펠 준비

- 사전 활동을 살펴봅니다.

④ 가스펠 설교

- **도입 - 전개 - 가스펠 링크 - 복음 초청 - 적용**에 이르는 설교 가이드입니다.

들어가기 도입 아이디어를 소개합니다.

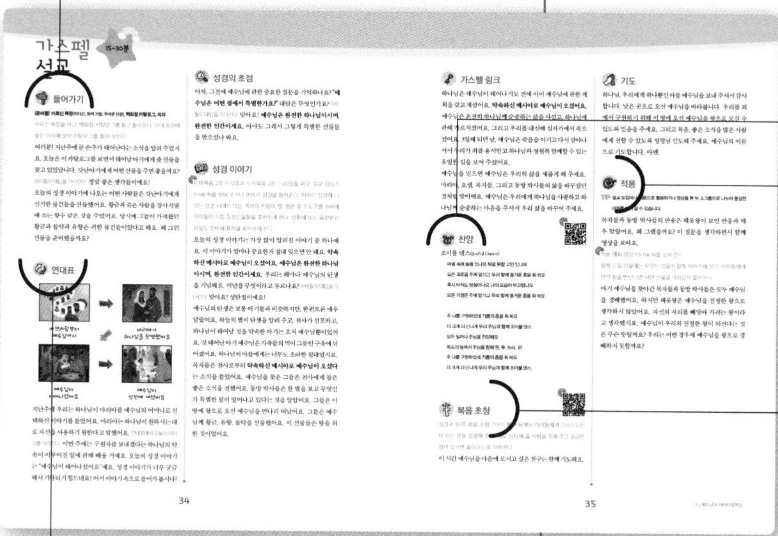

연대표 가스펠 프로젝트(하나님의 구원 계획)의 큰 흐름 속에서 각 과의 위치를 파악해 봅니다.

찬양 단원 주제를 담은 찬양, 악보, 율동을 지도자용 팩과 가스펠 프로젝트 홈페이지에서 만날 수 있습니다.

적용 에피소드를 담은 영상과 질문이 담겨 있습니다. 설교 도입이나 적용 부분에서 활용하거나 영상을 본 뒤 소그룹에서 풍성한 대화를 이어 가는 방법도 추천합니다.

복음 초청 복음을 전하고 영접 기도로 이끌 수 있는 초청 대화를 담았습니다. 지도자용 팩과 가스펠 프로젝트 홈페이지에서 영상을 활용할 수 있습니다.

가스펠 소그룹 ⑤

- 예배 후 소그룹 모임에서 배운 내용을 되새길 수 있는 다양한 활동을 소개합니다.

보물 상자 성경의 메시지와 내 삶을 연결해 보고, 하나님과 일대일 대화를 나누듯 마음을 고백하는 마무리 활동입니다.

나침반 재미있는 게임 활동으로 단원 암송을 익히게 합니다. 부록의 단원 암송 자료와 지도자용 팩의 파일을 활용할 수 있습니다.

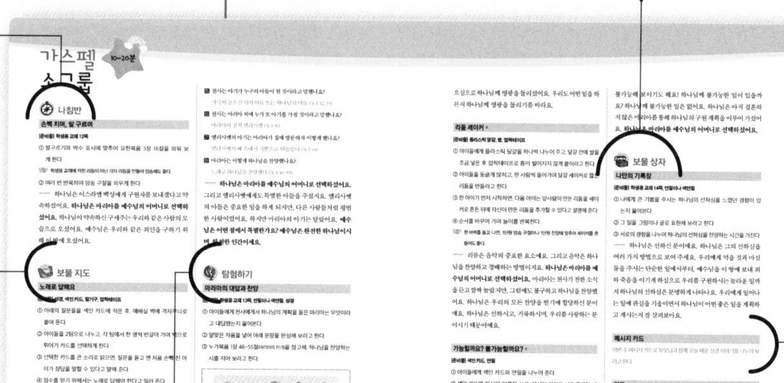

보물 지도 퀴즈와 게임을 통해 성경 이야기를 복습하는 활동입니다.

탐험하기 성경 이야기의 의미를 묵상하며 주제, 가스펠 링크, 성경의 초점 등을 되새기는 확장 활동입니다.

메시지 카드 각 과의 핵심 내용과 가족과 함께하는 활동을 담았습니다.

* 지도자용 팩의 PC 전용 DVD-Rom에 영상, 그림, 음원, 악보, PPT 등의 자료가 있습니다.

- 2017년 3월 28일에 고시된 「외래어 표기법」 일부 개정안에 따라 외래어 뒤에 쓰인 산, 강, 왕 등의 일반 명사는 붙여 쓰는 것으로 표기하였습니다.

발간사

두란노서원을 통해 라이프웨이(LifeWay)의 《가스펠 프로젝트》 성경 공부 교재 시리즈를 발간할 수 있도록 인도하신 하나님께 감사드립니다. 험한 소리로 가득한 세상에 이 책을 다릿돌처럼 놓습니다. 우리 삶은 말씀을 만난 소리로 풍성해져야 합니다. 주님을 만난 기쁨의 소리, 진실 앞에서 탄식하는 소리, 죄를 씻는 울음소리, 소망을 품은 기도 소리로 가득해야 합니다.

《가스펠 프로젝트》는 신구약을 관통하는 예수 그리스도의 복음을 발견하고, 그 가르침을 삶에 적용하는 지혜를 얻도록 기획한 성경 공부 교재입니다. 어린아이부터 어른에 이르기까지 생애 주기에 따른 복음 메시지를 잘 배울 수 있습니다. 또한, 거짓 진리가 미혹하는 이 시대에 건강한 신학과 바른 교리로 말씀을 조명하여 성도의 신앙이 좌로나 우로나 치우치지 않도록 돕습니다.

두란노서원은 지금까지 "오직 성경, 복음 중심, 초교파적 관점"을 바탕으로 한국 교회와 성도를 꾸준히 섬겨 왔습니다. 오직 성경의 정신에 입각해 책과 잡지를 출판해 왔으며, 성경에 근거한 복음 중심의 신학을 포기한 적이 없습니다. 그리고 교단과 교파를 초월하여 교회와 성도가 하나님 나라를 바라볼 수 있도록 돕기 위해 노력해 왔습니다. 《가스펠 프로젝트》는 두란노가 지켜 온 세 가지 가치를 충실하게 담은 책입니다.

성경은 구원을 위한 책이며, 구원사의 주인공은 예수 그리스도입니다. 창세기부터 요한계시록까지 오직 예수 그리스도의 복음만을 전하는 《가스펠 프로젝트》 성경 공부 교재를 통해 복음의 은혜와 진리를 깊이 경험하고, 복음 중심의 삶이 마음 판에 새겨지기를 바랍니다. 그리고 예수 그리스도 복음에 굳게 선 한 사람의 영향력이 가정과 교회와 사회에 흘러감으로써 거룩한 하나님 나라가 확산되어 가기를 소망합니다.

두란노서원 원장 **이 형 기**

감수사

《가스펠 프로젝트》는 무엇보다도 전통적으로 교회가 풀어 온 흐름을 충실히 따라 성경을 해설하고 있습니다. 그리고 그 방향은 궁극적으로 예수 그리스도를 향해 나아가고 있습니다. 이것은 예수님이 구약과 신약의 모든 성경이 자신을 가리키고 있다고 하신 말씀에 비추어 매우 타당한 것입니다. 게다가 그리스도 중심적 해설을 무리하게 전개하지 않습니다. 각 본문에서 하나님의 구원 언약과 그것을 실현하시는 하나님을 드러내면서, 그리스도의 예표적 설명이 가능한 사건을 놓치지 않고 풀어내고 있습니다.

성경 공부 교재는 명시적으로 혹은 암시적으로 제시하는 교리적 진술이 교리 체계상 건전해야 합니다. 《가스펠 프로젝트》는 99개 조에 이르는 핵심 교리들을 일목요연하게 제시하여 교리의 건전성을 확인할 수 있도록 도움을 줍니다. 《가스펠 프로젝트》의 교리는 교파를 막론하고, 예수 그리스도의 복음에 충실한 복음주의 교회들에게 환영받을 만합니다. 물론 교파마다 약간의 이견을 갖는 부분들이 있을 수 있겠지만, 각 교회에서 교재를 활용하는 데에 무리가 없을 것입니다. 《가스펠 프로젝트》의 특징은 각 과에서 학습한 내용을 핵심 교리와 연결해 주며, 그 결과 그리스도의 복음에 관련한 교리적 이해를 강화시킨다는 데에 있습니다.

끝으로 《가스펠 프로젝트》는 어떤 성경 주해서나 교리 학습서가 갖지 못하는 훌륭한 장점을 가지고 있습니다. 그것은 학습자를 하나님과 그리스도의 복음 앞으로 이끌며, 자신의 신앙과 삶을 돌아보도록 하는 적용의 적실성과 훈련의 효과입니다. 아울러 본문과 관련한 교회사적으로 또 주석적으로 중요한 신학자와 목사의 어록을 제시하고, 심화 토론을 위한 질문을 달아 주고, 선교적 안목을 열어 주는 적용 질문들을 더해 준 것은 《가스펠 프로젝트》에서 얻을 수 있는 커다란 유익입니다.

추천할 만한 마땅한 성경 공부 교재를 찾기가 쉽지 않은 현실에서 《가스펠 프로젝트》는 성경을 개괄적으로 매주 한 과씩 3년의 기간 동안 일목요연하게, 그리고 그리스도 중심적으로 공부하도록 이끌어 준다는 점에서, 한국 교회의 기초를 성경 위에 놓는 일에 커다란 공헌을 할 것으로 믿어 의심치 않습니다.

김병훈 _ 합동신학대학원대학교 조직신학 교수

하나님의 말씀이 임하는 곳에는 회복의 역사가 있어서 죽은 뼈들도 힘줄이 생기고 살이 오릅니다(겔 37:8). 왜냐하면 하나님의 말씀은 그 자체에 능력이 있기 때문입니다(눅 1:37). 그분의 말씀은 살아 있고 활력이 있기에 예리하게 혼과 영과 및 관절과 골수를 찔러 쪼개기까지 하며 또 마음의 생각과 뜻을 판단할 것입니다(히 4:12). 하나님의 말씀이 왕성하게 흘러넘쳐 온 세상과 우주를 적실 때에 정의와 사랑(렘 9:24) 그리고 제자의 수가 많아지는 놀라운 부흥을(행 6:7) 경험할 것이고, 악한 세력이 모두 물러가며 새 하늘과 새 땅이 다가올 것입니다.

이를 위해 작은 등불의 역할을 할 《가스펠 프로젝트》는 다음과 같은 특징이 있습니다. 첫째는 성경 전체를 '그리스도 중심'으로 바라본 것입니다. 오실 그리스도(구약)와 오신 그리스도 그리고 앞으로 다시 오실 그리스도(신약)의 관점에서 구약성경과 신약성경을 서로 연결시켜서, 그 속에 담긴 놀라운 하나님의 구원 역사를 보게 합니다. 둘째는 같은 본문으로 교회와 가정 그리고 전 연령층에서 그리스도의 사랑을 배우게 합니다. 이는 특히 가정에서 소통할 기회를 제공하고 사랑과 정의를 실천하는 성숙한 그리스도인으로 성장하도록 이끌어 줍니다. 셋째는 신학적 주제와 기초 교리를 이해하기 쉽게 설명하며 영적 분별력을 향상시키는 데 도움을 줍니다. 넷째는 배운 것을 복음의 씨앗을 뿌리는 선교와 연결시키며 하나님이 주신 사명을 실천하도록 이끄는 것입니다. 이는 복음의 열정을 회복시켜 줍니다.

이러한 특징이 있는《가스펠 프로젝트》는 모든 교단과 교파를 초월해서, 하나님의 섬세한 구원의 손길과 그리스도의 숭고한 십자가의 사랑 그리고 거룩함으로 인도하는 성령님의 이끄심을 배울 수 있는 아주 좋은 성경 공부 교재입니다. 우리는 이를 통해 하나님의 말씀이 이 땅에 흘러넘치며, 복음의 열정을 품고 전 세계로 향하는 많은 전도자들을 세워 갈 수 있을 것입니다

류호성 _ 서울장신대학교 신약학 교수

일반적으로 교육 프로그램의 적절성은 철학적, 사회학적, 심리학적 측면에서 평가됩니다. 이 기준을 주일 학교에 적용해 본다면 신학적으로 맞는지, 교회(사회)의 필요를 잘 충족하는지 그리고 활동에는 학습자의 발달적 특성이 잘 고려되었는지를 살피며 평가가 이루어져야 할 것입니다. 이러한 측면에서 볼 때,《가스펠 프로젝트》 저·고학년 신약 시리즈는 다음과 같은 특징이 있습니다.

첫째, 신학적인 측면에서 신약 학습을 성자 하나님이신 예수님께 초점을 맞추고 있다는 점 그리고 예수님이 구약 인물의 계보를 따라 오신 역사적 인물이며 약속된 메시아이심을 강조한다는 점 등이 적절하다고 볼 수 있습니다.

둘째, 교회(사회)의 필요 충족이라는 측면에서 볼 때도, 주일 학교를 담당하는 교육자들의 필요를 꼼꼼히 매우 잘 반영하고 있습니다. 어쩌면《가스펠 프로젝트》는 처음 개발할 때부터 학생보다는 교육자의 필요를 먼저 살핀 교사 친화적 교재라고 할 수 있습니다. 대부분의 세속 학교 프로그램은 학생 교재가 먼저 제작되고 교재를 어떻게 사용해야 하는지에 대한 설명을 하는 용도로 교사용 지도서가 만들어집니다. 그러나《가스펠 프로젝트》를 살펴보면 교회 교육자의 입장에서 설교, 소그룹 활동, 복음에의 초청, 가정과의 연계 활동 등 일련의 활동을 먼저 계획하고 이를 실행할 때 필요한 학생용 교재를 부차적으로 구성했다는 인상이 들 정도로 이를 선택한 교육자들의 필요를 두루 살피며 안정적으로 지원하고 있습니다.

셋째, 교육 심리학적인 측면에서《가스펠 프로젝트》는 초등학교 아동이 가지는 발달 연령기의 특성을 잘 반영하고 있습니다. 이 시기 아동에게는 오감을 사용하는 구체적인 활동이 매우 중요한데《가스펠 프로젝트》는 매우 입체적으로 인지적, 감성적, 행동적인 측면을 총동원할 수 있도록 구성되어 있습니다. 특히 성경의 내용을 지식적으로 이해하는 데에서 머무르지 않고, 아동들의 생활 반경의 경험과 연결하여 의미를 이해하도록 하고, 마지막에는 가정과의 연계 활동을 제안하여 학습의 구체화와 지속성을 더하고 있다는 점이 특징입니다.

마지막으로《가스펠 프로젝트》의 도움으로 교회에서 다음 세대에게 말씀을 전하는 교육자들의 수고가 더욱 많은 열매를 맺을 수 있기를 기대합니다.

김정효 _ 이화여자대학교 초등교육과 교수

추천사

우리를 향한 하나님의 멈추지 않는 사랑, 아들을 내어 주신 아버지 하나님의 놀라운 구원 계획에 눈뜨게 하는 교재입니다. 성경을 꿰뚫는 변함없는 메시지, 예수 그리스도를 만날 수 있는 교재입니다. 유익한 활동과 흥미로운 반복 학습을 통해 기독교 핵심 주제를 접하고, 말씀을 가까이 하며, 가족과 묵상을 나누도록 이끄는 방식에 기대가 큽니다. 다양한 소재의 영상과 그림 자료는 시청각 자료가 부족한 교육 현장에 큰 활력을 불어넣어 줄 것입니다. 교재 내용에 맞게 창작된 찬양은 곡조가 있는 산 기도를 체험하게 도와줄 것입니다. 무미건조한 습관적 예배, 아이들과 소통하지 못해 안타까워했던 부모와 교사, 다음 세대를 걱정하는 교회 지도자들에게 이 교재를 추천합니다.

김요셉 _ 중앙기독학교 교목, 원천침례교회 목사

《가스펠 프로젝트》는 하나님의 말씀으로 우리를 초청해 예수 그리스도를 만나게 하고 사랑하게 만드는 교재입니다. 자녀들이 교회 학교에서, 부모들이 소그룹에서 말씀을 공부한 후 저녁 식탁에 둘러 앉아 예수님에 대해 함께 나눈다는 것은, 상상만 해도 너무나 멋지고 복된 일입니다.

김지철 _ 소망교회 담임 목사

우리 시대의 전 세계적 교회 부흥은 두 가지 샘을 갖고 있습니다. 한 샘은 오순절 부흥 운동의 샘입니다. 이 샘으로 많은 시대의 목마른 영혼들이 목마름을 해갈했습니다. 또 하나의 샘은 성경 연구의 샘입니다. 남침례교 주일학교 운동은 이 샘의 개척자입니다. 이 샘으로 지금도 많은 성도가 목마름을 해갈하고 있습니다. 미국 남침례교 라이프웨이 출판사는 성경 연구를 돕는 사역을 충실히 감당해 왔습니다. 《가스펠 프로젝트》는 목마른 영혼들의 필요를 공급하는 원천이 될 것입니다. 《가스펠 프로젝트》는 쉬우면서도 결코 피상적이지 않습니다. 믿음의 단계를 따라 하나님의 자녀들에게 꼭 필요한 복음의 진수를 맛보게 해 줄 것입니다.

이동원 _ 지구촌교회 원로 목사

성경을 공부한다는 것은 성경에 기록된 사실을 배우는 것이 아니라 성경이 가르치는 교리를 배우는 것입니다. 왜냐하면 성경은 독자에게 어떤 새로운 정보를 주기 위해 인간이 쓴 책이 아니라 죄인인 인간에게 구원을 주기 위해 하나님이 쓰신 말씀이기 때문입니다. 그런데 이 구원의 도리인 교리를 성경 본문을 통해 배우기가 쉽지 않기 때문에 좋은 안내서가 필요합니다. 이번에 출간된《가스펠 프로젝트》는 이와 같은 역할을 탁월하게 수행하고 있기 때문에 기쁜 마음으로 추천합니다.

이성호 _ 고려신학대학원 역사신학 교수

성경은 예수 그리스도를 중심으로 하는 하나님의 구원 이야기입니다. 《가스펠 프로젝트》는 성경이 어떻게 그리스도와 연결되어 있는지, 또 성도의 삶이 하나님의 구원 계획에 어떻게 연결되어야 하는지를 구체적으로 제시합니다. 또한 전 세대를 연결하고, 가정과 교회를 하나 되게 합니다. 신앙의 전수가 중요한 시대에 성도와 교회와 가정이 한마음으로 다음 세대를 준비시키기에 적합합니다. 특히 가정에서 부모가 자녀와 말씀으로 대화를 나눌 수 있게 해 자녀의 신앙 교육에 도움이 될 것입니다.

이재훈 _ 온누리교회 담임 목사

1 단원
성자 하나님

예수님은 베들레헴에서 태어나셨습니다. 예수님은 어릴 때부터 하나님의 아들로서의 역할을 이해하고 계셨습니다. 예수님이 세례 요한에게 세례를 받으셨을 때 하나님은 예수님이 하나님의 아들이심을 확증하셨습니다. 예수님은 마귀에게 3번의 시험을 받으셨지만 결코 죄를 짓지 않으셨습니다.

아브라함부터
예수님까지

마리아가 하나님을
찬양했어요

예수님이
태어나셨어요

The Gospel Project

예수님이
성전에 계셨어요

예수님이
세례를 받으셨어요

예수님이
시험을 이기셨어요

카운트다운 – 알람이 울리기 전에

카운트다운 영상(지도자용 팩)을 틀고 예배 준비 자세를 취하도록 격려한다. 예배가 시작되는 시간에 영상이 끝나도록 맞추어 놓는다. 영상이 끝나기 30초 전에 예배 인도자는 정해진 위치에 서서 조용히 기도하는 모범을 보인다.

무대 배경 – 거실에서

집의 거실처럼 보이도록 장식한다. 크고 편안한 의자나 흔들의자를 놓고 벽에 가족사진을 몇 개 걸어둔다. 폼보드를 이용해 벽난로를 만들고 색칠해도 좋다. 화면에 '거실에서' 배경 이미지(지도자용 팩)를 띄운다.

1

아브라함부터 예수님까지

마 1:1~17

단원 암송

하나님이 세상을 이처럼 사랑하사 독생자를 주셨으니 이는 그를 믿는 자마다 멸망하지 않고 영생을 얻게 하려 하심이라(요 3:16).

성경의 초점

예수님은 어떤 점에서 특별한가요?
예수님은 완전한 하나님이시며,
완전한 인간이세요.

본문 속으로

예수님의 탄생을 다루는 예언서는 많습니다. 구약 성경은 약속된 메시아가 여자의 후손으로 태어나(창 3:15 참조), 아브라함(창 22:18 참조), 이삭(창 21:12 참조), 야곱(민 24:17 참조)의 자손으로, 유다 지파의 자손으로(미가 5:2 참조), 이새의 줄기에서(사 11:1 참조), 그리고 다윗의 집에서(렘 23:5 참조) 태어날 것이라고 예언했습니다. 그리고 예수님이 처녀의 몸에서 태어나실 것이며(사 7:14 참조), 하나님의 아들이 되실 것이라고(대상 17:13~14; 시 2:7 참조) 예언했습니다. 예수님은 이 예언을 모두 성취하셨습니다.

성경 시대에 유대인들은 가족의 족보(계보)를 정확하게 기록하는 데 주의를 기울였습니다. 누군가가 속해 있는 가족은 상속권과 직접 연결되었습니다. 마태복음 1장 1~17절과 누가복음 3장 23~38절에는 예수님의 족보가 나옵니다. 마태복음의 기록은 예수님이 유대인의 왕이시며, 다윗 왕위의 합법적인 상속자라는 사실을 보여 줍니다. 누가복음에 나오는 예수님의 족보는 헬라파 그리스도인을 대상으로 쓰였으며, 아담의 후손으로 오신 예수님께 초점을 맞추고 있습니다.

예수님은 베들레헴에서 평범한 아기의 모습으로 태어나셨습니다. 이 땅에서 예수님의 부모는 마리아와 요셉이었지만, 그분의 진정한 아버지는 하나님이십니다. 예수님은 완전한 하나님이시며, 완전한 인간이십니다.

예수님은 완전한 하나님으로서 "그 안에는 신성의 모든 충만이 육체로"(골 2:9) 거하셨습니다. 또한 예수님은 완전한 인간으로서 인간의 몸과 마음, 그리고 감정을 가지셨습니다(눅 2:7, 52; 마 26:38 참조). 그분은 죄를 알지도 못하지만 우리의 죄를 대신 지셨고(고후 5:21 참조), 우리의 연약함을 동정하셨으며(히 4:15 참조), 우리 죄를 속하기 위해 화목 제물이 되셨습니다(요일 4:10 참조).

티칭 포인트

성경 이야기를 통해 아이들에게 예수님의 조상과 그들의 이야기를 가르치고 함께 복습하십시오. 하나님은 예수님을 이 땅에 보내기 오래전부터 아담, 노아, 아브라함, 이삭, 야곱, 이새, 다윗, 솔로몬, 요시야를 통해 일하셨다는 것을 아이들이 깨달을 수 있도록 알려 주십시오. 하나님은 사람들을 죄에서 구원하기 위해 예수님을 이 땅에 보내셨습니다.

주 제

예수님은 아브라함과 다윗의 자손으로 오셨어요.

가스펠 링크

하나님은 예수님을 보내셔서 아브라함과 다윗에게 하신 약속을 지키셨어요.
예수님은 사람들을 죄에서 구원하고, 그들을 하나님의 가족이 되게 하세요.

아브라함부터 예수님까지 마 1:1~17

예수님은 성자 하나님이세요. 성자 하나님은 처음부터 계셨어요. 누군가 창조한 것이 아니에요. 하나님은 사람들을 죄에서 구원하기 위해 예수님을 보낼 계획을 세우셨어요. 예수님은 평범한 아기의 모습으로 이 땅에 오셨어요. 요셉과 결혼한 마리아에게서 태어나셨지요. 예수님은 완전한 하나님이시며, 완전한 인간이세요. 이것이 바로 예수님이 다른 사람과 구별되는 특별한 점이에요. 이 땅에 있는 다른 사람들처럼 예수님의 가족에도 역사가 있어요. 예수님에게도 부모님, 할아버지, 할머니, 증조할아버지, 증조할머니, 고조할아버지, 고조할머니를 거쳐 아주 많은 세대를 거슬러 올라가게 되지요.

예수님은 아브라함과 다윗의 자손으로 태어나셨어요. 아브라함은 아들 이삭을 낳았어요. 이삭에게는 두 아들이 있었는데 그중 한 명이 야곱이었어요. 야곱도 예수님의 *가계에 속해요.

그후 몇 대가 흐르고, 살몬이 태어났어요. 살몬은 이스라엘 정탐꾼들을 여리고성에 숨겨 주었던 라합과 결혼했어요. 라합은 아들을 낳고 이름을 보아스라고 지었어요. 보아스는 룻과 결혼했지요. 보아스와 룻은 아들 오벳을 낳았어요.

오벳은 아들 이새를 낳았어요. 이새는 아들이 여럿 있었는데, 막내아들이 바로 다윗이에요. 다윗은 평범한 소년이었지만 이스라엘의 왕으로 기름 부음 받았지요. 다윗은 찬양하는 것을 좋아했어요. 그는 많은 시편을 썼는데, 그중 몇몇은 이 땅에 오실 예수님에 관한 내용이었어요.

예수님의 가계에는 왕들도 있었어요. 다윗과 솔로몬을 비롯해 여호사밧, 웃시야, 아하스, 히스기야, 요시야 모두 예수님의 가계에 속한 왕들이었지요.

그리고 시간이 흘러 맛단이 태어났어요. 맛단의 아들은 야곱이었고, 야곱의 아들은 요셉이었어요. 요셉은 마리아와 결혼했어요. 마리아는 예수님의 어머니가 되었고, 요셉은 예수님을 아들로 길렀어요. 예수님은 진정한 구원자시며, 하나님의 아들이세요.

가스펠 링크

예수님은 평범한 아기의 모습으로 오셨어요. 이 땅에서 예수님의 부모는 마리아와 요셉이었지만, 예수님의 진정한 아버지는 하나님이세요. 하나님은 예수님을 보내셔서 아브라함과 다윗에게 하신 약속을 지키셨어요. 예수님은 사람들을 죄에서 구원하고, 그들을 하나님의 가족이 되게 하세요.

*가계 : 대대로 이어 내려온 한 집안의 계통

가스펠 준비 10~20분

*는 선택 활동입니다.

환영

도착하는 아이들을 반갑게 맞이하고 헌금, 출석, QT 등을 확인하며 격려한다. 새 친구가 있다면 소개한다. 편안한 분위기에서 안부를 물으며 오늘의 말씀과 관련된 화제로 이야기를 나눈다. 아이들에게 자기 가족을 소개해 보게 한다. 부모님과 조부모님에 관해 질문한다. 자발적으로 대화에 참여하도록 이끈다.

예) "부모님의 성함은 무엇인가요?", "할아버지와 할머니의 성함을 알고 있나요?", "증조할아버지와 증조할머니의 성함을 알고 있나요?" 등.

— 여러분은 할아버지나 할머니보다 더 오래 전에 계셨던 조상들의 이름을 알고 있나요? 아마 잘 모를 거예요. 시간이 지날수록 조상들의 이름을 기억하기가 점점 어려워져요. 오늘 성경 이야기에는 어떤 족보가 나와요. 누구의 족보인지 함께 살펴보도록 해요.

마음 열기

가족 리스트 *

[준비물] 종이, 연필, 스톱워치

① 아이들에게 종이와 연필을 나누어 준다.

② 1분 동안 종이에 자신의 가족들(아빠, 엄마, 이모, 삼촌 등)을 가능한 한 많이 쓰게 한다. 기억할 수 있다면 가족의 이름을 쓰게 해도 좋다.

③ 아이들이 쓴 내용을 함께 확인해 본다.

— 우리는 우리 가족의 울타리 안에 있는 사람을 모두 알지는 못해요. 한 번도 만나지 못한 먼 친척들도 있을 거예요. 우리가 모든 가족을 알지 못해도 우리에게 가족과 친척들이 있다는 것은 분명해요. 예수님에게도 가족이 있었어요! 오늘 우리는 예수님의 가족에 관해 배울 거예요. 그리고 우리가 어떻게 예수님의 가족이 될 수 있는지 이야기할 거예요.

BC와 AD는 무엇일까? *

[준비물] 종이, 사인펜

① 종이에 'BC'와 'AD'를 적은 후, 아이들에게 'BC'와 'AD'가 무엇인지 물어본다.

② 다양하게 이야기를 나눈 후, BC와 AD에 관해 설명해 준다.

— 'AD'와 'BC'는 시간을 계산하는 기준으로 BC는 '기원전', AD는 '기원후'라고 읽기도 해요. BC와 AD는 예수님의 탄생을 기준으로 나뉘어요. 예수님의 탄생 이전을 BC, 예수님의 탄생 이후를 AD라고 하지요. 오늘 우리는 예수님과 예수님 이전에 태어났던 예수님의 조상들에 관해 배울 거예요.

교사를 위한 기록장 이 과를 준비하면서 깨닫게 된 묵상을 정리해 보세요.

· 나는 하나님이나 나에 대해

알게 되었습니다.

· 이 과를 통해 기억하고 싶은 하나님의 약속은

입니다.

· 아이들에게 전하고 싶은 메시지는

입니다.

가스펠 설교

15~30분

들어가기

[준비물] 어르신 복장(카디건, 회색 가발, 두꺼운 안경), **의자, 가족사진**

어르신 복장을 하고 가족사진을 들고 들어온다. 무대 중앙에 놓인 의자에 앉는다.

안녕하세요, 여러분! 만나서 반가워요. 손주들이 곧 도착할 거라는 전화를 받았어요. 제 아들이 여러분도 모두 이곳으로 오라고 한 모양이지요? 아이들의 대답을 기다린다. 뭐, 어떻든 상관없어요. 혼자 사는 집에 이렇게 많은 사람들이 오니 기분이 좋네요. 저는 우리 집에 온 사람들에게 빼먹지 않고 하는 이야기가 있어요. 바로, 우리 가족에 관한 이야기예요. 손주들을 기다리는 동안 다른 가족의 이야기를 들려줄까요? 아이들의 대답을 기다린다. 좋습니다! 오늘의 성경 이야기는 예수님의 가족에 관한 이야기예요. 여러분 중에 예수님의 가족은 누가 있었는지 기억하는 사람 있나요? 아이들의 대답을 기다린다. 맞습니다!

연대표

DVD '어린이를 위한 가스펠 프로젝트_하나님의 구원 계획' 영상(지도자용 팩)을 보여 주고 오늘의 성경 이야기도 하나님의 거대한 구원 계획의 한 부분에 속하는 이야기임을 상기시킨다.

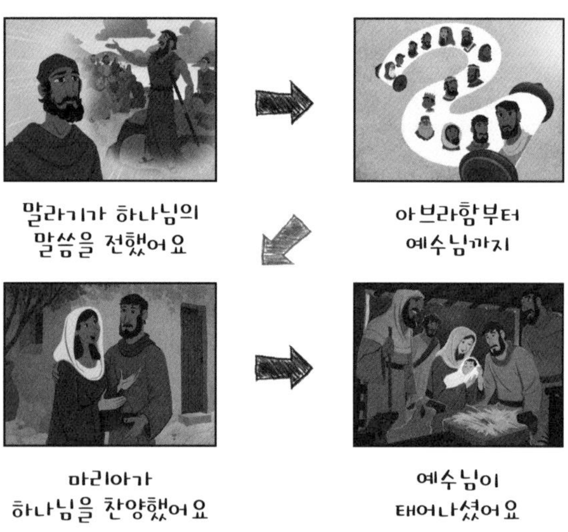

오늘은 신약성경의 첫 번째 이야기를 들을 거예요. 그동안 우리는 하나님이 하나님의 백성에게 하신 약속을 지키기 위해 구원자를 이 땅에 보내도록 준비하신 일에 관해 배웠어요. 연대표에서 오늘의 성경 이야기를 가리킨다. 오늘은 하나님이 예수님을 이 땅에 보내기 위해 사용하신 사람들에 관해 생각해 보는 시간을 가질 거예요.

성경의 초점

여러분도 알다시피, 예수님도 우리처럼 가족이 있었어요. 그리고 많은 조상이 있었지요. 하지만 예수님은 우리와는 다른 점이 있어요. 오늘의 '성경의 초점'의 질문은 **"예수님은 어떤 점에서 특별한가요?"**예요. 성경 이야기를 듣는 동안 예수님이 어떤 점에서 특별한지 '성경의 초점'의 질문에 대한 답을 생각해 보세요.

성경 이야기

DVD 마태복음 1장 1~17절을 펴고, 설교 영상(지도자용 팩)을 보여 주거나 이야기 성경을 들려준다. 인도자는 교사에게 이야기 성경에 나오는 성경 인물을 정해 주고, 그 인물과 비슷하게 꾸미게 한다. 이름표를 달아 자신이 누군지 아이들이 알 수 있게 한다. 아이들에게 교사들을 소개하고, 예수님의 가계 순서대로 줄을 세워 보라고 한다.

아브라함, 이삭, 야곱을 기억하나요? 우리는 룻과 보아스, 그리고 오벳에 관해서도 배웠어요. 오늘의 성경 이야기는 예수님이 왕의 후손으로 이 땅에 오셨다는 것을 알려 주어요. 이스라엘의 왕이었던 다윗과 솔로몬은 예수님의 조상이었어요. 하나님은 언제나 약속을 지키시는 신실한 분이세요. 하나님이 세상에 보낼 구원자에 관해 하셨던 약속을 기억하나요? 하나님은 아브라함의 후손을 통해 이 세상을 축복하겠다고 약속하셨어요! 그리고 다윗의 자손 중에서 영원한 왕이 나올 것이라고 말씀하셨지요. 그 왕은 누구인가요? 바로 예수님이에요!

예수님은 아브라함과 다윗의 자손으로 오셨어요. 예수님은 사람의 모습으로 이 땅에 오셨어요. 예수님에게도 부모가 있었어요. 마리아와 요셉이에요. 그렇지만 예수님의 진정한 아버지는 하나님이세요. 예수님은 보통 사람과 달랐어요. **예수님은 어떤 점에서 특별한가요? 예수님은 완전한 하나님**

이시며, 완전한 인간이세요. 이것이 '성경의 초점'의 질문과 답이에요. 함께 말해 볼까요? **예수님은 어떤 점에서 특별한가요? 예수님은 완전한 하나님이시며, 완전한 인간이세요.**

복/습/질/문

1 이 땅에서 예수님의 부모는 누구였나요?

마리아와 요셉 (마 1:20~21)

2 예수님의 진정한 아버지는 누구인가요?

하나님 (눅 1:35)

3 예수님의 조상 중 왕이었던 사람의 이름을 말해 보세요.

다윗, 솔로몬, 르호보암, 아비야, 아사, 여호사밧, 요람, 웃시야, 아하스, 히스기야, 므낫세, 암몬, 요시야, 여고냐 (마 1:6~11)

4 하나님은 누구의 후손이 하늘의 별처럼 많아질 것이라고 약속하셨나요?

아브라함 (창 15:5)

5 우리도 예수님의 가족이 될 수 있나요?

그렇다. 우리가 예수님을 믿으면 예수님의 가족이 될 수 있다 (갈 4:5)

6 예수님은 어떤 점에서 특별한가요?

예수님은 완전한 하나님이시며, 완전한 인간이세요.

가스펠 링크

성경은 예수님의 가계에 속한 사람들의 이름을 알려 주어요. 예수님은 하나님의 아들이시고, 태초부터 계셨어요. 이 땅에 오시기 전에는 하늘에서 하나님과 함께 계셨지요. 우리를 사랑하시는 하나님은 아들이신 예수님을 사람의 모습으로 이 땅에 보내셔서 아브라함과 다윗에게 하신 약속을 지키셨어요.

성경은 누구든지 예수님을 주님이자 구세주로 믿으면, 하나님이 우리의 죄를 용서하시고 하나님의 자녀로 삼아 주신다고 말해요(요 1:12 참조). 하나님의 자녀가 된다는 것은 놀라운 축복이에요. 예수님이 이 땅에 다시 오실 때, 모든 것을 회복하시고 하나님의 나라를 완전하게 세우실 거예요. 그리고 예수님을 믿는 우리는 하나님과 영원히 함께할 거예요!

복음 초청

성경과 85쪽 복음 초청 가이드를 이용해서 아이들에게 그리스도인이 되는 법을 설명해 준다. 따로 상담해 줄 사람을 정해 주고 궁금한 점이 있으면 물어보도록 격려한다.

이 시간 예수님을 마음에 모시고 싶은 친구는 함께 기도해요.

기도

하나님, 언제나 신실하신 하나님을 찬양합니다. 오늘 성경 이야기를 통해 완전한 하나님이며, 완전한 사람으로 오신 예수님에 관해 배웠습니다. 우리를 죄에서 구하기 위해 예수님을 이 땅에 보내시고, 예수님을 믿는 자들을 자녀로 삼아 주셔서 감사합니다. 날마다 더욱더 하나님을 사랑할 수 있도록 도와주세요. 그리고 다른 사람들에게 예수님을 전할 수 있도록 인도해 주세요. 예수님의 이름으로 기도합니다. 아멘.

적용

TIP 설교 도입이나 적용으로 활용하거나 영상을 본 뒤 소그룹으로 나누어 풍성한 대화를 이어 갈 수 있습니다.

여러분이 생각하기에 역사상 가장 유명한 사람은 누구인가요? 만약 여러분이 아주 유명한 사람을 만날 수 있다면, 누구를 만나고 싶은가요? 살아 있는 사람이든, 이미 죽은 사람이든 상관없어요.

DVD 적용 예화 영상(지도자용 팩)을 보여 준다.

사람을 유명하게 만드는 것은 무엇인지 아이들과 이야기를 나누어 본다.

왜 우리는 역사 속 인물 중 어떤 사람은 기억하고 어떤 사람은 기억하지 않을까요? 역사상 가장 중요한 사람은 누구일까요? 또는 가장 유명한 사람은 누구일까요? 이에 대한 사람들의 의견은 다 다를 거예요. 그렇다면 여러분이 생각하기에 가장 유명하고 중요한 분은 누구인가요? 아이들의 대답을 기다린다.

맞아요. 예수님이에요. 언젠가 예수님은 다시 오셔서 이 땅을 회복하시고, 예수님의 가족이 된 사람들과 함께 거하실 거예요. 세상의 모든 사람이 예수님을 가장 유명하고 중요한 왕으로 생각하며 경배하게 될 거예요!

가스펠 소그룹

10~20분

나침반

순서대로 나열하면

"하나님이 세상을 이처럼 사랑하사 독생자를 주셨으니 이는 그를 믿는 자마다 멸망하지 않고 영생을 얻게 하려 하심이라"(요 3:16).

[준비물] 학생용 교재 6쪽, 77쪽, 연필이나 색연필, 가위, 풀

① 77쪽의 퍼즐을 오려 붙인 후, 예수님의 가계에 관해 이야기를 나눈다.

② 퍼즐을 완성한 후 각 사람에게 적힌 글씨를 찾아 요한복음 3장 16절 말씀을 완성하게 한다.

③ 완성된 요한복음 3장 16절 말씀을 함께 큰 소리로 여러 번 읽는다.

── 하나님이 약속하신 대로 예수님은 다윗의 자손으로 태어나셨어요. 요한복음 3장 16절 말씀을 보면, 예수님은 죄인을 구원하려고 이 땅에 오셨다고 말해요. 그 죄인이 누구일까요? 아이들의 대답을 기다린다. 맞아요. 모두가 죄인이에요. 하나님은 우리를 사랑하셔서 하나뿐인 아들 예수님을 이 땅에 보내셨어요. 그리고 예수님은 십자가에서 죽으시고 부활하셔서 우리를 죄에서 구원하셨어요.

보물 지도

예수님의 조상은?

DVD **[준비물] 성경, '아브라함에서 예수님까지 카드'**(지도자용 팩 또는 뒤표지)**, 가위**

① '아브라함에서 예수님까지 카드'를 복사 또는 출력해 오려 둔다.

② 아브라함에서 예수님까지 가계를 순서대로 정리해 보라고 한다.

③ 아이들이 어려워하면 성경에서 마태복음 1장 1~17절을 찾아 참고하게 한다.

── 잘했어요! 예수님은 하나님의 아들이세요. 예수님이 완전한 하나님인 이유이지요. 예수님은 이 땅에 오셔서 마리아와 요셉의 가정에서 태어나셨어요. 예수님이 완전한 인간인 이유이지요. **예수님은 아브라함과 다윗의 자손으로 오셨어요.** 하나님은 하나님의 계획을 이루기 위해 많은 사람을 사용하셨어요. 예수님의 가계에 속한 사람들뿐만 아니라 그렇지 않은 사람들도 이 구원 계획에 포함되었지요. 우리도 예수님을 믿으면, 우리 죄를 용서받고 하나님의 자녀가 될 수 있어요!

탐험하기

무엇이 다를까?

[준비물] 학생용 교재 7쪽, 연필이나 색연필

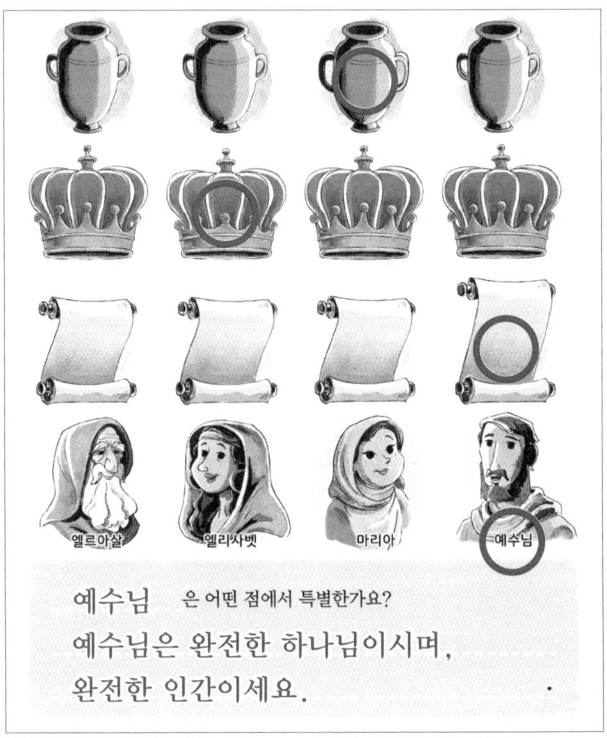

① 그림마다 비슷하지만 조금 다른 그림이 하나씩 있다고 말한다.

② 다른 그림을 찾아 ○표 하라고 한다.

③ 아래 질문을 완성하고 그 이유를 적어 보라고 한다.

— 마지막 문제가 좀 어려웠나요? 그림 4개가 모두 달랐어요! 모두 다른 모습으로 보이지만, 그중 3명은 평범한 사람이에요. 하지만 예수님은 달라요. 예수님은 우리와 여러 면에서 비슷하지만, 우리와 완전히 같지는 않아요. **예수님은 완전한 하나님이시며, 완전한 인간이세요.**

비교해 보아요 *

[준비물] 전지, 매직, 포스트잇, 연필이나 색연필

① 전지에 큰 원 2개가 서로 교차하도록 벤다이어그램을 그린다.

② 한쪽 원에는 '예수님', 다른 원에는 '사람들'이라고 쓰고, 겹치는 부분에는 '둘 다'라고 적는다.

③ 아이들에게 연필과 포스트잇을 3장씩 나누어 준다.

④ 첫 번째 포스트잇에는 예수님에게만 있는 특징을 적으라고 한다.

예) 하나님의 아들, 태초부터 존재함, 완전한 하나님 등.

⑤ 두 번째 포스트잇에는 사람에게 있는 특징을 적으라고 한다.

예) 죄를 가지고 태어남, 하나님이 창조하심, 하나님에게서 멀어짐, 용서가 필요함 등.

⑥ 마지막 포스트잇에는 예수님과 사람들이 함께 가지고 있는 특징을 적으라고 한다.

예) 배고프고 목마름, 가족이 있음, 이 땅에 태어남, 하나님에게 사랑받음, 하나님 계획의 일부 등.

⑦ 포스트잇을 전지의 해당하는 부분에 붙이게 하고, 적은 내용에 관해 함께 이야기를 나눈다.

— 예수님은 여러 면에서 우리와 같아요. 그런데 우리와 다르기도 하지요. **예수님은 어떤 점에서 특별한가요? 예수님은 완전한 하나님이시며, 완전한 인간이세요.**

예수님은 성경에 나오는 사람들처럼 실제로 계셨던 분이세요. 예수님은 또한 성자 하나님이셨어요. 예수님은 사람의 몸으로 태어나셨지만 모든 능력을 가진 완벽하고 거룩한 분이세요. **예수님이 완전한 하나님이시며, 완전한 인간이셨다**는 점은 중요해요.

예수님은 완전한 인간이었기 때문에 우리의 고통을 이해하실 수 있어요. 죄의 유혹도 받으셨지요. 그러나 예수님은 우리와 달리 죄를 짓지 않으셨고, 우리의 죄를 대신 담당하셨어요. 예수님이 완전한 하나님이셨기 때문에 가능한 일이었지요. 예수님을 믿으면 우리는 죄를 용서받고 하나님의 가족이 될 수 있어요.

우리 집 가계도 그리기 *

[준비물] 종이, 연필이나 색연필

① 아이들에게 '가계도'는 한 집안의 가족 관계를 나타내는 그림이라고 설명해 준다.

② 인도자의 가계도를 예로 보여 주어도 좋다.

③ 종이와 연필을 나누어 주고, 자신의 가계도를 다양한 방법으로 그려 보라고 한다.

— 우리에게는 가족이 있어요. 가족은 한순간에 만들어진 것이 아니라 오랜 세월 동안 만들어졌어요. 누가 우리의 조상인지 다 알지 못하지만, 우리에게 조상이 있다는 사실은 분명해요. 우리 모두에게는 조상이 있어요! 예수님도 마찬가지예요.

예수님이 이 땅에 오시기 전에 예수님의 가계에 속한 많은 사람이 먼저 있었어요. 예수님도 우리처럼 가족이 있었지만, 우리와 다른 점이 있어요. **예수님은 어떤 점에서 특별한가요? 예수님은 완전한 하나님이시며, 완전한 인간이세요.**

예수님을 믿으면, 우리는 죄를 용서받고 하나님의 가족이 될 수 있어요. 하나님의 자녀가 되면 하나님과 영원히 함께 할 수 있어요.

보물 상자

나만의 기록장

[준비물] 학생용 교재 8쪽, 연필이나 색연필

① 가족을 생각하면 어떤 기분이 드는지 생각해 보라고 한다.

② 몇 대째 예수님을 믿고 있는지 물어본다.

③ 나의 후손은 몇 대까지 예수님을 믿게 될지 그림이나 글로 표현해 보라고 한다.

④ 하나님은 가족을 통해 우리를 축복하시고, 하나님을 신뢰하는 방법을 가르쳐 주신다는 사실을 일깨워 준다.

— 예수님은 완전한 분이셨지만, 예수님의 가족은 완전

하지 않았어요. 우리처럼 예수님의 가족도 완전하지 못한 죄인들이었어요. 하나님은 예수님을 이 땅에 보내려는 하나님의 계획을 이루기 위해 죄인인 사람들을 사용하셨어요. 하나님은 하나님의 뜻을 이루기 위해 우리와 우리의 가족도 사용하실 수 있어요. 우리가 죄인이라도 말이에요. 하나님은 우리가 가족에 대해 어떻게 느끼든 상관없이 우리의 가족을 통해 하나님의 선한 뜻을 이루시고 영광 받으세요.

메시지 카드 만들기

[준비물] 학생용 교재 73~77쪽 메시지 카드, 카드 고리, 펀치, 가위

① 카드를 오리고 펀치로 구멍을 뚫어 고리로 연결하게 한다.

② 가방이나 지갑에 고리를 끼워 항상 휴대하면서 오늘 배운 성경 이야기를 수시로 기억하게 하고, 가족과도 함께 나눌 수 있도록 격려한다.

기도

하나님, 언제나 약속을 지키시는 신실하신 하나님을 찬양합니다. 죄 때문에 죽을 수밖에 없는 우리를 위해 예수님을 보내 주셔서 감사합니다. 예수님이 십자가에서 죽으시고 살아나심으로 우리를 구원하시고, 예수님을 믿는 사람들을 하나님의 자녀로 삼아 주셔서 감사합니다. 날마다 하나님을 찬양하며 살아갈 수 있도록 함께해 주세요. 예수님의 이름으로 기도합니다. 아멘.

칼럼

교사들을 세우는 제자 훈련

어린이 사역의 동역자를 찾는 것은 쉽지 않습니다. 다른 사역이나 스케줄 조정의 어려움, 그 밖의 다양한 사정들 때문입니다. 이것은 우리가 통제할 수 없는 영역입니다.

이런 어려움을 넘어서서 함께 동역하게 된 교사들을 바라보십시오. 그들은 어떻게 사역하고 있습니까? 성경대로 살아가며, 하나님이 기뻐하시는 사역에 동참하고 있습니까? 그들이 하나님의 사역에 기쁘게 동참할 수 있도록 어떻게 도울 수 있을까요? 바로, 제자 훈련을 하는 것입니다.

어쩌면 여러분은 자신이 다른 성인들을 훈련할 만한 인물이 못 된다고 생각할 수도 있습니다. 그렇다면 다음에 소개하는 제자 훈련을 시도하는 3가지 방법을 살펴보십시오.

1. 함께 기도하십시오

함께 섬기는 이들과 짐을 나누어 지십시오. 아이들이 도착하기 전에 기도 시간을 가지십시오. 서로 기도 제목을 나누고 한 주 동안 문자 메시지와 이메일로 근황을 확인하십시오. 여러분이 그들을 위해 기도하고 있다는 사실을 그들도 알게 하십시오.

또한, 아이들과 가족을 위해 교사와 함께 팀을 이루어 기도하십시오. 이러한 기도의 시간은 복음을 온유하고 사랑스럽게 나눌 수 있도록 각자의 마음을 준비시키는데 도움이 됩니다. 궁극적으로는 교사들로 하여금 선교적 삶을 살아 내고, 하나님의 나라를 확장시키고픈 열망으로 가득차게 해 줍니다.

2. 당신의 지혜를 나누십시오

어쩌면 여러분은 성인들을 훈련할 만큼 충분한 지식을 갖고 있지 못하다고 생각할지 모릅니다. 하지만 그렇지 않습니다. 여러분은 어린이들의 마음을 훈련 하는 방법을 알고 있고, 그들은 여러분에게 바로 그것을 배우기 원합니다. 엄밀히 말하자면 이것이 여러분의 전 영역입니다.

교실에서 그 과의 예시를 보여 주거나 전체 프로그램을 정기적으로 보여 주며 보석 같은 지혜를 매주 짧게나마 나누어 주기 바랍니다.

어린이 사역과 관련해 여러분에게 주어진 은사는 다른 성인들이 주 안에서 자라나기를 열망하게 함으로써 그들이 궁극적으로 한 어린이가 예수님을 만나는 일을 돕게 할 것입니다.

3. 관계를 발전시키십시오

제자를 삼는 것은 관계를 맺는 일입니다. 결국 예수님은 자신을 따르는 자들과 함께 생활하시며 그들을 제자로 삼으셨습니다. 여러분도 동역하는 사람들에게 이와 같이 할 수 있습니다. 다양한 방법이 있을 수 있겠지요. 예배를 마친 후에 함께 점심 식사를 하거나 주중에 만나 커피를 마시고, 그들의 가족과 어울리거나 함께 성경 공부를 하는 것도 좋습니다.

매주 그들을 격려하면, 여러분도 모르는 사이에 교사들은 여러분의 리더십을 따라 그리스도를 따르는 강력한 제자로 성장하게 될 것입니다.

그렇습니다. 교사들은 어린이 사역을 감당하면서 제자가 될 수 있습니다. 감히 말하건대, 여러분은 어린이들 뿐 아니라 성인들도 훈련할 수 있습니다. 가서 제자 삼으십시오!

"그러므로 너희는 가서 모든 민족을 제자로 삼아 아버지와 아들과 성령의 이름으로 세례를 베풀고 내가 너희에게 분부한 모든 것을 가르쳐 지키게 하라 볼지어다 내가 세상 끝날까지 너희와 항상 함께 있으리라 하시니라"(마 28:19~20).

자나 매그루더(Jana Magruder)는 라이프웨이키즈(LifeWay Kids)에서
어린이 사역부 디렉터를 맡고 있습니다.
베일러(Baylor) 대학을 졸업했으며,
어린이 사역, 교육, 커리큘럼 개발에 힘쓰고 있습니다.

2

마리아가 하나님을 찬양했어요

눅 1:26~56

단원 암송

하나님이 세상을 이처럼 사랑하사 독생자를
주셨으니 이는 그를 믿는 자마다 멸망하지
않고 영생을 얻게 하려 하심이라(요 3:16).

성경의 초점

예수님은 어떤 점에서 특별한가요?
예수님은 완전한 하나님이시며,
완전한 인간이세요.

본문 속으로

하나님의 백성은 수백 년 동안 하나님으로부터 분명한 말씀을 듣지 못했습니다. 그러던 어느 날 하나님의 천사인 가브리엘이 사가랴에게 나타나 그의 아내 엘리사벳이 아들을 낳을 것이라고 말했습니다. 아기의 이름을 요한이라 하라고 말했습니다. 그러고는 마리아에게 나타나 그녀가 아기를 낳을 것이고, 그 아기는 하나님의 아들이 될 것이라고 전했습니다.

마리아와 엘리사벳은 친척 사이였습니다. 엘리사벳과 남편 사가랴에게는 아기가 없었습니다. 게다가 엘리사벳은 나이가 들어 아기를 가질 수 없는 상황이었습니다. 10대 초반의 소녀였을 마리아는 처녀였고, 요셉과 약혼한 사이였습니다. 엘리사벳과 마리아가 임신하게 될 것이라는 선포는 두 여인에게 기적과 같은 일이었습니다. 두 아기의 탄생 모두 이사야 선지자가 예언했던 일이었습니다(사 7:14, 40:3 참조).

가브리엘 천사는 마리아에게 엘리사벳도 임신했다고 말했습니다. 마리아는 서둘러 엘리사벳을 만나러 갔습니다. 이 여행은 쉽지 않았을 것입니다. 마리아가 엘리사벳을 만나러 간 거리는 약 160km에 달했기 때문입니다. 마리아의 방문은 엘리사벳과 배 속의 아기 모두에게 기쁨을 주었습니다. 태어나지 않은 메시아의 방문에 아직 태아인 요한은 엘리사벳의 배 속에서 뛰놀았습니다. 엘리사벳은 성령의 충만함을 받아 말했습니다. "여자 중에 네가 복이 있으며 네 태중의 아이도 복이 있도다"(눅 1:42).

마리아가 엘리사벳을 방문한 이야기는 믿음으로 사는 여인의 놀라운 태도를 보여 줍니다. 어리고 아직 남자를 알지 못하는 마리아에게 임신은 큰 걱정거리가 아닐 수 없었습니다. 그러나 마리아는 걱정하는 대신 하나님을 신뢰했습니다. 마리아의 찬양은 마리아가 하나님의 말씀을 이해하고 하나님이 어떤 분이신지 이해하고 있었다는 것을 보여 줍니다.

티칭 포인트

마리아는 하나님을 찬양했습니다. 약속된 메시아가 이 땅에 온다는 것은 기쁜 소식이었기 때문입니다! 사람들이 오랫동안 메시아를 기다려 왔다는 것을 아이들이 이해할 수 있도록 도와주십시오. 예수님의 어머니가 되는 것은 결코 쉬운 일이 아니었지만, 마리아는 하나님의 뜻대로 이루어질 것을 믿고 의지했다는 사실을 말해 주십시오.

주 제

하나님은 마리아를 예수님의 어머니로 선택하셨어요.

가스펠 링크

마리아가 순종해서 하나님께 영광을 돌렸듯이 예수님은 사람들을 죄에서 구원하기 위해 기꺼이 십자가에서 죽으심으로 하나님께 영광을 돌리셨어요.

마리아가 하나님을 찬양했어요 눅 1:26~56

어느 날 하나님은 가브리엘이라는 천사를 갈릴리 지방에 있는 작은 동네 나사렛으로 보내셨어요. 천사는 마리아라는 어린 처녀를 찾아갔어요. 마리아는 다윗 왕의 후손인 요셉과 약혼한 사이였어요.

천사는 마리아에게 "기뻐하라! 네가 하나님께 은혜를 입었다. 하나님이 너와 함께하신다"라고 말했어요. 마리아는 너무 무섭고 혼란스러웠어요. 자신이 무언가 특별한 일을 한 것도 아닌데, 왜 하나님이 자신에게 은혜를 주시는지 알 수 없었어요. 천사는 마리아에게 무서워하지 말라고 말했어요. 그러고는 이제 마리아가 매우 특별한 아기를 갖게 될 것이고, 아기의 이름을 '예수'라 하라고 전했어요. '예수'라는 이름은 '여호와는 구원이시다'라는 뜻이에요. 천사는 그 아기가 큰 자가 될 것이고, 하나님의 아들이라고 불릴 것이라고 했어요! 그리고 왕이 될 것이라고도 말했어요. 하나님이 약속하신 왕 말이에요.

마리아가 천사에게 말했어요. "아직 결혼하지 않은 저에게 어떻게 이런 일이 일어날 수 있나요?"

천사는 "성령이 네게 임하실 것이며 지극히 높으신 분의 능력이 너를 감싸 주실 것이다. 태어날 아기는 하나님의 아들이라고 불릴 것이다"라고 대답했어요.

천사가 계속해서 말했어요. "하나님께는 불가능한 일이 전혀 없다!" 그는 마리아의 친척인 엘리사벳도 아기를 가졌다고 알려 주었어요. 엘리사벳은 나이가 많았고 아기를 갖지 못했거든요. 마리아는 "저는 주의 여종입니다. 말씀대로 내게 이루어지기를 원합니다"라고 대답했어요.

마리아는 서둘러 엘리사벳의 집으로 갔어요. 마리아가 도착하자 엘리사벳의 배 속에 있던 아기가 기뻐 뛰놀기 시작했어요! 엘리사벳이 성령으로 충만해져 말했어요. "당신은 복을 받았고 배 속의 아기도 복을 받았습니다!"

마리아는 정말 기뻤어요. 그리고 하나님의 위대하심을 찬양했어요. 마리아는 하나님이 예수님을 통해서 하실 놀라운 일들로 인해 모든 후손이 자기를 보고 복 있다고 말할 것이라고 노래했어요. 하나님은 예수님을 통해 세상에 복 주겠다고 하신 하나님의 약속을 이루고 계세요.

마리아는 엘리사벳의 집에서 3달 동안 머물다 집으로 돌아갔어요.

●● 가스펠 링크

마리아는 예수님의 어머니가 될 것이라는 하나님의 계획에 순종함으로 하나님께 영광을 돌렸어요. 이와 마찬가지로 예수님도 사람들을 죄에서 구원하기 위해 기꺼이 십자가에서 죽으심으로 하나님께 영광을 돌리셨어요.

가스펠 준비

10~20분

*는 선택 활동입니다.

환영

도착하는 아이들을 반갑게 맞이하고 헌금, 출석, QT 등을 확인하며 격려한다. 새 친구가 있다면 소개한다. 편안한 분위기에서 안부를 물으며 오늘의 말씀과 관련된 화제로 이야기를 나눈다. 아이들에게 믿기 힘들 정도로 놀랍고 좋은 소식을 들은 적이 있는지 물어본다. 자발적으로 대화에 참여하도록 이끈다.

예) "정말 놀라운 소식을 들은 적이 있나요?", "그때 기분이 어땠나요?" 등.

— 우리는 모두 좋은 소식을 듣고 싶어 해요. 너무 놀랍고 좋은 소식을 들으면 오히려 믿기 어려울 때도 있지요. 오늘 우리는 성경 이야기를 통해 마리아에 관해 배울 거예요. 마리아는 아주 놀라운 소식을 들었어요. 그 소식은 사실이었지요! 정말 놀라운 사실을 알게 된다면 여러분은 어떻게 반응할까요?

마음 열기

내가 찬양할 이유 *

[준비물] 포스트잇, 연필

① 아이들에게 포스트잇과 연필을 나누어 준다.

② 하나님을 찬양할 이유를 그림이나 글로 표현해 보라고 한다.

③ 완성한 그림이나 글을 예배실 벽 한쪽에 붙이라고 한다.

④ 아이들이 하나님을 찬양하도록 격려한다.

— 하나님을 찬양할 이유는 여러 가지가 있어요. 오늘 우리는 매우 중요한 일을 하도록 선택받은 한 사람에 관해 배울 거예요. 마리아는 하나님이 이 땅에 보내실 구원자 예수님의 어머니가 될 거예요. 이 놀라운 소식에 마리아가 어떻게 반응했는지 함께 알아보아요.

사방치기 놀이 *

[준비물] 마스킹 테이프, 신문지

① 예배실 바닥에 마스킹 테이프로 사방치기 모양을 만든다.

② 아이들에게 신문지를 한 장씩 나누어 주고, 신문지를 구겨 공 모양으로 뭉치라고 한다.

③ 사방치기 하는 방법을 알려 준다.

④ 모든 아이가 놀이를 마칠 때까지 진행한다.

— 어떤 TV프로그램에서 배 속에 있는 아기가 아빠의 노랫소리를 듣고 손뼉 치는 모습이 초음파 영상에 찍힌 것을 보았어요. 배 속에 있는 아기가 밖에서 나는 소리를 듣고 반응했다는 것을 알 수 있어요. 오늘 성경 이야기에서 만날 어떤 아기는 엄마 배 속에서 기뻐하며 뛰놀았다고 해요. 왜 그랬을까요?

교사를 위한 기록장 이 과를 준비하면서 깨닫게 된 묵상을 정리해 보세요.

· 하나님이나 나에 대해 새롭게 알게 된 것은?

· 기억하고 싶은 하나님의 약속은?

· 아이들에게 전하고 싶은 메시지는?

가스펠 설교

15~30분

들어가기

[준비물] 어르신 복장(카디건, 회색 가발, 두꺼운 안경), **의자, 가족사진**

어르신 복장을 하고 가족사진을 들고 들어온다. 무대 중앙에 놓인 의자에 앉는다.

안녕하세요! 여러분을 다시 만나 정말 기뻐요. 지난주 여러분과 함께 예수님의 가족에 관한 이야기를 나눌 수 있어서 참 좋았어요. 오늘은 우리 가족에 관한 놀라운 소식이 있어요! 방금 아들과 통화했는데, 곧 아기가 태어날 거라고 하네요. 손주가 하나 더 생기는 것이지요! 어떤 녀석이 태어날지 정말 기대돼요. 아들일지 딸일지도 궁금하고요. 여러분 생각은 어떤가요? 아이들의 대답을 기다린다. 그래요. 사실 아들이든 딸이든 상관없어요. 손주는 다 예쁘니까요!

여러분 중에 아기가 태어날 것이라는 소식을 들어 본 사람이 있나요? 아이들의 대답을 기다린다. 기분이 어땠나요? 아이들의 대답을 기다린다. 그렇군요! 오늘 성경 이야기에는 아기가 등장해요. 모든 아기는 하나님의 선물이지만, 이 아기는 하나님이 주신 가장 특별한 선물이었어요. 이 아기의 엄마는 아기가 태어날 것이라는 말을 믿을 수가 없었어요. 그 아기는 바로 예수님이랍니다.

연대표

아브라함부터 예수님까지

마리아가 하나님을 찬양했어요

예수님이 태어나셨어요

예수님이 성전에 계셨어요

구약성경에서 이스라엘 백성과 그들이 가진 문제에 관해 배웠어요. 바로 죄의 문제였어요. 죄는 사람들을 하나님에게서 멀어지게 했지만, 하나님은 그들을 죄에서 구원하기 위해 구원자를 보내셨어요. 신약성경은 약속을 지키시는 하나님에 관해 말해요. 연대표에서 오늘의 성경 이야기를 가리킨다. 오늘의 성경 이야기는 "마리아가 하나님을 찬양했어요"랍니다. 천사가 마리아에게 어떤 놀라운 하나님의 계획을 말해 주었는지, 그리고 마리아가 어떻게 대답했는지 배울 거예요.

성경의 초점

오늘의 성경 이야기에서 마리아는 자신이 하나님의 아들이신 예수님의 어머니가 될 것이라는 소식을 들어요. 마리아는 예수님이 다른 아기들과 다르다는 것을 알았어요. '성경의 초점'에서 그 내용을 찾아보아요. **예수님은 어떤 점에서 특별한가요? 예수님은 완전한 하나님이시며, 완전한 인간이세요.**

성경 이야기

DVD 누가복음 1장 26~56절을 펴고, 설교 영상(지도자용 팩)을 보여 주거나 이야기 성경을 들려준다. 예배실을 갈릴리 나사렛과 엘리사벳이 살던 산골 동네로 구분해 놓는다. 인도자는 나사렛에서 이야기를 시작하다가 천사가 떠나면 엘리사벳의 동네로 이동하며 설교를 한다.

이스라엘 백성은 하나님이 보내실 메시아를 기다리고 또 기다렸어요. 사람들이 하나님의 말씀을 마지막으로 들은 지 400년이 지났어요. 말라기 선지자가 약 400년 전에 전한 말씀은 하나님이 누군가를 보내 메시아의 길을 예비할 것이라는 내용이었어요. 어떤 사람들은 하나님이 다시는 말씀하시지 않을 것이라고 생각했을지도 몰라요.

그러던 어느 날, 천사가 마리아라는 여인에게 나타났어요! 천사는 마리아가 아기를 가질 것이라고 말했어요. 그 아기는 평범한 아기가 아닌 하나님의 아들이었어요! 천사는 마리아의 사촌인 엘리사벳에게도 나타나 엘리사벳도 아들을 낳을 것이라고 말했어요! 엘리사벳의 아기는 예수님이 오실 길을 예비하는 사람이었어요!

마리아는 아직 결혼하지 않았기 때문에 아기를 갖는 것이 불가능했어요. 그러나 하나님에게 불가능이란 없어요. 마리아는 두려웠지만 "주의 여종이오니 말씀대로 내게 이루어지이다"(눅 1:38 참조)라고 천사에게 대답했어요. **하나님은 마리아를 예수님의 어머니로 선택하셨어요.**

마리아는 엘리사벳의 집으로 갔어요. 그러고는 엘리사벳이 임신한 것을 보고 천사가 전한 말이 사실이라는 것을 확신하게 되었어요. 예수님의 어머니가 될 마리아가 도착하자 엘리사벳의 아기는 배 속에서 기쁨으로 뛰놀았어요. 마리아는 하나님이 이스라엘 백성에게 하신 약속을 지키시리라는 것을 알았어요. 마리아의 아들은 이 세상을 구원할 구원자가 될 거예요. **예수님은 어떤 점에서 특별한가요? 예수님은 완전한 하나님이시며, 완전한 인간이세요.**

가스펠 링크

천사는 마리아에게 하나님이 약속하신 구원자에 관한 놀라운 소식을 전했어요. 그러나 이것은 매우 충격적인 소식이기도 했어요. 마리아는 아직 결혼하지 않은 상태였기 때문에 사람들은 마리아가 낳은 아기를 하나님의 아들이라고 믿지 않을 수도 있었어요. 마리아는 겁이 났지만, 하나님의 뜻을 이루기 원했어요. 마리아는 자신을 통해 계획을 이루실 하나님을 찬양했어요.

마리아의 아들로 이 땅에 오신 예수님은 하나님의 계획에 온전히 순종하셨어요. 그 일이 힘들고 어렵다는 것을 알았음에도 말이지요. 예수님은 십자가에서 죽으심으로 죄의 대가를 치르셨어요. 그리고 3일째 되는 날 다시 살아나 죄를 정복하셨어요! 예수님을 믿으면 우리는 죄에서 구원받고 하나님과 영원히 함께할 수 있어요.

예수님을 믿고 따르는 것은 쉬운 일이 아니에요. 그러나 예수님을 믿고 순종하면, 우리의 삶을 통해 하나님께 영광을 돌리고 하나님이 얼마나 놀라운 분인지 세상에 보여 줄 수 있어요.

복음 초청

DVD

성경과 85쪽 복음 초청 가이드를 이용해서 아이들에게 그리스도인이 되는 법을 설명해 준다. 따로 상담해 줄 사람을 정해 주고 궁금한 점이 있으면 물어보도록 격려한다.

이 시간 예수님을 마음에 모시고 싶은 친구는 함께 기도해요.

기도

하나님, 우리를 죄에서 구원하기 위해 하나뿐인 아들 예수님을 이 땅에 보내 주셔서 감사합니다. 오늘 성경 말씀을 통해 마리아가 하나님의 뜻에 순종하며 하나님께 영광 돌린 것을 배웠습니다. 하나님의 계획에 순종한 마리아처럼 우리도 하나님을 신뢰하고 언제나 순종하며 하나님께 영광 돌릴 수 있도록 함께해 주세요. 예수님의 이름으로 기도합니다. 아멘.

적용

TIP 설교 도입이나 적용으로 활용하거나 영상을 본 뒤 소그룹으로 나누어 풍성한 대화를 이어 갈 수 있습니다.

여러분이 했던 일 중에 가장 어려운 일은 무엇이었나요? 누가 그 일을 하라고 시켰나요? 영상을 보는 동안 이 질문에 관해 생각해 보세요.

DVD 적용 예화 영상(지도자용 팩)을 보여 준다.

벤저민의 요구에 다르게 반응할 수 있는 방법이 있을지 아이들과 이야기를 나누어 본다.

누군가 어려운 일을 하도록 요청했을 때 어떻게 반응하나요? 우리의 반응은 다른 사람들에게 하나님에 관해 무엇을 보여 줄 수 있나요?

하나님은 말씀을 통해 우리가 하나님을 위해 무엇을 하기 원하는지 보여 주셨어요. 예수님은 우리에게 하나님께 순종할 힘을 주세요. 물론 예수님을 믿더라도, 하나님의 계획에 불순종할 수 있어요. 그러나 어려움이나 고난에도 불구하고 기꺼이 하나님께 순종할 때, 우리는 우리가 하나님을 신뢰한다는 것과 어려운 순간에도 하나님의 선하심을 믿는다는 것을 세상에 보여 줄 수 있어요.

가스펠 소그룹

10~20분

나침반

손뼉 치며, 발 구르며

[준비물] 학생용 교재 12쪽

① 발구르기와 박수 표시에 맞추어 요한복음 3장 16절을 외워 보게 한다.

TIP 학생용 교재에 적힌 리듬이 아닌 각자 리듬을 만들어 암송해도 좋다.

② 여러 번 반복하며 암송 구절을 외우게 한다.

── 하나님은 이스라엘 백성에게 구원자를 보내겠다고 약속하셨어요. **하나님은 마리아를 예수님의 어머니로 선택하셨어요.** 하나님이 약속하신 구세주는 우리와 같은 사람의 모습으로 오셨어요. 예수님은 우리와 같은 죄인을 구하기 위해 이 땅에 오셨어요.

보물 지도

노래로 답해요

[준비물] 성경, 색인 카드, 필기구, 접착테이프

① 아래의 질문들을 색인 카드에 적은 후, 예배실 벽에 격자무늬로 붙여 둔다.

② 아이들을 2팀으로 나누고, 각 팀에서 한 명씩 번갈아 가며 벽으로 뛰어가 카드를 선택하게 한다.

③ 선택한 카드를 큰 소리로 읽으면, 질문을 듣고 맨 처음 손뼉 친 아이가 정답을 말할 수 있다고 말해 준다.

④ 점수를 얻기 위해서는 노래로 답해야 한다고 일러 준다.

⑤ 정답이 틀렸거나 노래로 답하지 않으면, 상대 팀에게 답할 기회를 준다.

1 누가 마리아에게 아기를 갖게 될 것이라는 소식을 전했나요?
천사 가브리엘 (눅 1:26~27, 31)

2 마리아는 누구와 약혼했나요?
요셉 (눅 1:27)

3 마리아는 천사의 말을 듣고 어떻게 반응했나요?
놀라 그 인사말이 무슨 뜻인지 생각했다 (눅 1:29~30)

4 천사는 마리아에게 아기의 이름이 무엇이라고 말했나요?
예수 (눅 1:31)

5 천사는 아기가 누구의 아들이 될 것이라고 말했나요?
지극히 높으신 이의 아들 또는 하나님의 아들 (눅 1:32, 35)

6 천사는 마리아 외에 누가 또 아기를 가질 것이라고 말했나요?
마리아의 친척 엘리사벳 (눅 1:36)

7 엘리사벳의 아기는 마리아가 집에 방문하자 어떻게 했나요?
엘리사벳의 배 속에서 기쁨으로 뛰놀았다 (눅 1:44)

8 마리아는 어떻게 하나님을 찬양했나요?
노래로 하나님을 찬양했다 (눅 1:46~55)

── **하나님은 마리아를 예수님의 어머니로 선택하셨어요.** 그리고 엘리사벳에게도 특별한 아들을 주셨지요. 엘리사벳의 아들은 중요한 일을 하게 되지만, 다른 사람들처럼 평범한 사람이었어요. 하지만 마리아의 아기는 달랐어요. **예수님은 어떤 점에서 특별한가요? 예수님은 완전한 하나님이시며, 완전한 인간이세요.**

탐험하기

마리아의 대답과 찬양

[준비물] 학생용 교재 13쪽, 연필이나 색연필, 성경

① 아이들에게 천사에게서 하나님의 계획을 들은 마리아는 무엇이라고 대답했는지 물어본다.

② 알맞은 자음을 넣어 아래 문장을 완성해 보라고 한다.

③ 누가복음 1장 46~55절(마리아의 찬가)을 참고해, 하나님을 찬양하는 시를 지어 보라고 한다.

주의 여종이오니
말씀대로 내게 이루어지이다

── 마리아는 예수님이 이 땅에 오시는 일에 매우 특별한 역할을 했어요. 바로 예수님의 어머니가 된 거예요! 마리아는 천사가 전한 소식을 듣고 깜짝 놀랐지만, 하나님을 찬양했어요. 마리아가 순종해서 하나님께 영광을 돌렸듯이 예수님은 사람들을 죄에서 구원하기 위해 기꺼이 십자가에서 죽

으심으로 하나님께 영광을 돌리셨어요. 우리도 어떤 일을 하든지 하나님께 영광을 돌리기를 바라요.

리듬 셰이커 *

[준비물] 플라스틱 달걀, 쌀, 접착테이프

① 아이들에게 플라스틱 달걀을 하나씩 나누어 주고, 달걀 안에 쌀을 조금 넣은 후 접착테이프로 틈이 벌어지지 않게 붙이라고 한다.

② 아이들을 둥글게 앉히고, 한 사람씩 돌아가며 달걀 셰이커로 짧은 리듬을 만들라고 한다.

③ 한 아이가 먼저 시작하면, 다음 아이는 앞사람이 만든 리듬을 셰이커로 흔든 뒤에 자신이 만든 리듬을 추가할 수 있다고 설명해 준다.

④ 순서를 바꾸어 가며 놀이를 반복한다.

TIP 한 바퀴를 돌고 나면, 1단원 암송 구절이나 1단원 찬양에 맞추어 셰이커를 흔들어도 좋다.

— 리듬은 음악의 중요한 요소예요. 그리고 음악은 하나님을 찬양하고 경배하는 방법이지요. **하나님은 마리아를 예수님의 어머니로 선택하셨어요.** 마리아는 천사가 전한 소식을 듣고 깜짝 놀랐지만, 그럼에도 불구하고 하나님을 찬양했어요. 하나님은 우리의 모든 찬양을 받기에 합당하신 분이에요. 하나님은 선하시고, 거룩하시며, 우리를 사랑하는 분이시기 때문이에요.

가능할까요? 불가능할까요? *

[준비물] 색인 카드, 연필

① 아이들에게 색인 카드와 연필을 나누어 준다.

② 색인 카드에 자신의 이름을 쓰고, 자신이 가지고 싶은 특별한 재능이나 능력을 쓰라고 한다.

③ 아이들의 카드를 모은 뒤, 카드에 적힌 재능이나 능력을 한 번에 하나씩 읽는다.

④ 카드를 읽은 후 아이들에게 "가능할까요? 불가능할까요?"라고 묻고, 아이들의 대답을 기다린다.

⑤ 가능하다고 생각하면 머리 위로 ○를, 불가능하다고 생각하면 가슴 앞에서 X를 표시하라고 한다.

⑥ 기회가 되면 자신의 카드가 읽힌 아이들은 나와서 그 재능을 펼쳐 보게 한다.

— 여기에는 특별한 재능들이 쓰여 있어요. 어떤 것들은 불가능해 보이기도 해요! 하나님께 불가능한 일이 있을까요? 하나님께 불가능한 일은 없어요. 하나님은 아직 결혼하지 않은 마리아를 통해 하나님의 구원 계획을 이루어 가셨어요. **하나님은 마리아를 예수님의 어머니로 선택하셨어요.**

보물 상자

나만의 기록장

[준비물] 학생용 교재 14쪽, 연필이나 색연필

① 나에게 큰 기쁨을 주시는 하나님의 선하심을 느꼈던 경험이 있는지 물어본다.

② 그 일을 그림이나 글로 표현해 보라고 한다.

③ 서로의 경험을 나누며 하나님의 선하심을 찬양하는 시간을 가진다.

— 하나님은 선하신 분이에요. 하나님은 그의 선하심을 여러 가지 방법으로 보여 주세요. 우리에게 먹을 것과 마실 물을 주시는 단순한 일에서부터, 예수님을 이 땅에 보내 죄와 죽음을 이기게 하심으로 우리를 구원하시는 놀라운 일까지 하나님의 선하심은 분명하게 나타나요. 우리에게 일어나는 일에 관심을 기울이면서 하나님이 어떤 좋은 일을 계획하고 계시는지 잘 살펴보아요.

메시지 카드

이번 주 메시지 카드로 부모님과 함께 오늘 배운 성경 이야기를 나누어 보라고 한다.

기도

하나님, 여러 가지 방법으로 은혜를 베푸시는 선하신 하나님을 찬양합니다. 우리를 사랑하셔서 독생자 예수님을 이 땅에 보내 주셔서 감사합니다. 불가능이 없으신 하나님을 믿고 순종하는 우리가 되게 해 주세요. 날마다 하나님의 선하심과 사랑을 찬양할 수 있도록 성령님 인도해 주세요. 예수님의 이름으로 기도합니다. 아멘.

3
예수님이 태어나셨어요

마 2:1~12; 눅 2:1~20

단원 암송

하나님이 세상을 이처럼 사랑하사 독생자를 주셨으니 이는 그를 믿는 자마다 멸망하지 않고 영생을 얻게 하려 하심이라(요 3:16).

성경의 초점

예수님은 어떤 점에서 특별한가요?
예수님은 완전한 하나님이시며,
완전한 인간이세요.

본문 속으로

아우구스투스 황제가 인구 조사를 한 것(호적 등록을 하게 한 것)이 과연 우연일까요? 마리아와 요셉이 예수님이 탄생하실 장소로 예언된 베들레헴에 가게 된 것(미 5:2 참조)은 우연일까요? 하나님은 하나님의 계획을 이루는 데 이방인 정복자를 사용하심으로써 하나님이 만물의 주관자라는 사실을 보이셨습니다.

예수님이 태어나자 마리아는 아기 예수님을 구유에 뉘었습니다. 구유에 누인 왕! 앞뒤가 맞지 않는 것처럼 보입니다. 그러나 예수님은 평범한 아기가 아니셨습니다. 예수님은 가장 겸손한 모습으로 이 땅에 오신 하나님의 아들이십니다. "인자가 온 것은 섬김을 받으려 함이 아니라 도리어 섬기려 하고 자기 목숨을 많은 사람의 대속물로 주려 함이니라"(마 20:28).

천사가 갑자기 나타났을 때 목자들이 느꼈을 놀라움을 상상해 보십시오. 성경은 목자들이 두려워했다고 전합니다! 천사는 목자들에게 "무서워하지 말라 보라 내가 온 백성에게 미칠 큰 기쁨의 소식을 너희에게 전하노라 오늘 다윗의 동네에 너희를 위하여 구주가 나셨으니 곧 그리스도 주시니라"(눅 2:10~11)라고 말했습니다.

이스라엘 백성은 자신들에게 구세주가 필요하다는 사실을 잘 알고 있었습니다. 그래서 매일 속죄의 제사를 드렸습니다. 마침내 모든 죄를 단번에, 영원히 대속할 구세주가 오신 것입니다.

●● 티칭 포인트

예수님은 구세주이자 우리의 왕으로 이 땅에 오셨다는 사실을 아이들에게 알려 주십시오. 얼마 후 동방박사들이 아기 예수님을 찾아와 경배했습니다. 그들은 예수님께 왕에게 합당한 예물인 황금과 유향과 몰약을 드렸습니다. 예수님은 하나님이 다윗에게 약속하셨던 영원한 왕이십니다.

주 제

약속하신 메시아로 예수님이 오셨어요.

가스펠 링크

예수님의 탄생은 복음이에요. 하나님의 아들이신 예수님은 사람들을 죄에서 구원하고 그들의 왕이 되기 위해 이 땅에 오셨어요.

예수님이 태어나셨어요 마 2:1~12; 눅 2:1~20

마리아가 아기 예수님을 임신했을 때, 로마의 통치자인 아우구스투스 황제는 모든 사람이 *호적 등록을 해야 한다고 명령했어요. 이 때문에 사람들은 고향으로 돌아가야 했어요. 다윗의 후손이었던 요셉은 마리아와 함께 나사렛의 집을 떠나 다윗의 동네인 베들레헴으로 향했어요.

베들레헴에 머무는 동안 마리아가 아기를 낳을 때가 다가왔어요. 마리아와 요셉은 아기를 낳을 수 있는 안전한 장소를 찾았지만 머물 곳이 없었어요. 많은 사람이 호적 등록을 위해 베들레헴에 와 있었기 때문이에요. 할 수 없이 마리아와 요셉은 가축을 기르는 곳에서 아기를 낳았어요. 마리아는 아기 예수님을 포근하게 천에 싸서 가축의 먹이를 담아 두는 구유에 뉘었어요.

한편 목자들은 근처 들판에서 양 떼를 지키고 있었어요. 그때 하나님의 천사가 목자들에게 나타났어요. 밝은 빛이 그들을 비추었어요. 목자들은 겁이 났어요!

천사가 말했어요. "두려워하지 마라! 내가 모든 백성에게 큰 기쁨이 될 좋은 소식을 너희에게 알려 준다. 오늘 구주이신 주 그리스도가 다윗의 동네에서 태어나셨다." 천사는 또 "너희는 천에 싸여 구유에 누워 있는 아기를 볼 것이다"라고 말했어요.

갑자기 많은 천사가 나타나더니 "지극히 높은 곳에서는 하나님께 영광이요 땅에서는 하나님이 기뻐하신 사람들 중에 평화로다!"라고 말하며 하나님을 찬양했어요.

목자들은 곧바로 아기 예수님을 찾으러 베들레헴으로 향했어요. 이윽고 마리아와 요셉, 그리고 구유에 누인 아기를 발견했어요. 목자들은 사람들에게 아기 예수님에 관해 들은 것을 전했어요. 이 이야기를 들은 사람들은 모두 놀랐어요. 목자들은 하나님을 찬양하며 돌아갔어요. 모든 일이 천사가 말한 대로 이루어졌기 때문이에요.

얼마 후 동방 박사들이 아기 예수님을 찾아왔어요. 그들은 동방에서 한 별을 보았어요. 이 별은 하나님이 예수님을 이 땅에 보내셨다는 표시였지요. 동방 박사들은 헤롯왕에게 가서 말했어요. "유대 사람의 왕으로 태어나신 분이 어디 계십니까? 우리가 동방에서 그의 별을 보고 경배하려고 왔습니다."

새로운 왕이라니! 헤롯은 화가 났어요. 그는 몰래 동방 박사들을 불러 말했어요. "가서 샅샅이 뒤져 그 아기를 꼭 찾으라. 그리고 찾거든 나에게도 알리라. 나도 가서 아기에게 경배할 것이다." 그러나 헤롯의 말은 거짓이었어요. 그는 새로운 왕을 경배할 생각이 없었어요. 오히려 새로운 왕을 죽이고 싶었어요!

예수님을 찾은 동방 박사들은 엎드려 경배했어요. 그들은 아기 예수님께 황금과 유향과 몰약을 예물로 드렸어요. 동방 박사들이 돌아갈 때가 되자, 그들은 꿈에서 헤롯에게 돌아가지 말라는 말씀을 들었어요. 그래서 다른 길을 따라 자기 나라로 돌아갔어요.

●● 가스펠 링크

예수님의 탄생은 복음이에요. 예수님은 평범한 아기가 아니었어요. 하나님의 아들이신 예수님은 사람들을 죄에서 구원하고 그들의 왕이 되기 위해 이 땅에 오셨어요.

*호적 등록 : 인구 조사를 위해 가족별로 이름, 생년월일 등을 기록하는 것

가스펠 준비 10~20분

*는 선택 활동입니다.

환영

도착하는 아이들을 반갑게 맞이하고 헌금, 출석, QT 등을 확인하며 격려한다. 새 친구가 있다면 소개한다. 편안한 분위기에서 안부를 물으며 오늘의 말씀과 관련된 화제로 이야기를 나눈다. 당나귀나 말을 타본 적이 있는지 물어보고, 어떤 느낌이었는지 물어본다. 자발적으로 대화에 참여하도록 이끈다.

예) "당나귀를 본 적 있나요?", "말을 타 본 적 있나요?" 등.

── 오늘 성경 이야기에는 아주 멀리 여행한 사람들의 이야기가 나와요. 그 당시에는 비행기나 자동차가 없었기 때문에 사람들은 당나귀나 말을 타고 여행했어요. 어떤 여행이었을지 한번 상상해 보세요.

마음 열기

예수님 시대의 이스라엘 지도 *

DVD **[준비물] 학생용 교재 72쪽(또는 지도자용 팩), 연필이나 색연필, 종이**

① 학생용 교재 72쪽을 펴고, 지시에 따라 지도를 완성하게 한다.
② 갈릴리 호수, 요단강, 사해를 점선에 따라 그려 보라고 한다.
③ 갈릴리 지방, 사마리아 지방, 유대 지방을 알맞은 색으로 색칠하게 한다.
④ 나사렛, 수가, 여리고, 예루살렘, 베들레헴을 표시하고 지명을 적으라고 한다.
⑤ 종이를 주고 몇 번 더 그리며 성경 지도가 익숙해질 수 있도록 도와준다.

── 이스라엘 지도를 그려 보았어요. 앞으로 이스라엘 지도를 보며 예수님이 어디에서 누구를 만났는지, 예수님의 고향은 어디인지 확인해 볼 거예요. 지도를 통해 당시에 성경 속 지리를 파악해 보고, 예수님의 흔적을 찾아가 보아요. 오늘 성경 이야기에서는 여러분이 지도에 표시한 베들레헴에서 일어난 일이에요. 과연 무슨 일이 일어났을까요?

별 찾기 *

[준비물] 별 모양 포스트잇, 노란색 도화지, 가위

① 노란색 도화지를 잘라 큰 별 하나를 만든다.
② 별 모양 포스트잇과 큰 별을 아이들이 오기 전 예배실 곳곳에 숨겨 둔다.
③ 아이들을 2팀으로 나누고, 예배실 안에서 별을 찾아보라고 한다.
④ 큰 별을 찾은 팀이 이긴다.

── 우리가 찾은 별 중에는 아주 크고 특별한 별 하나가 있었어요. 오늘 성경 이야기에는 밤하늘에 나타난 특별한 별을 따라 먼 길을 여행한 동방 박사들이 나와요. 동방 박사들은 무엇을 찾으러 갔을까요? 함께 알아보기로 해요.

교사를 위한 기록장 이 과를 준비하면서 깨닫게 된 묵상을 정리해 보세요.

· 하나님이나 나에 대해 새롭게 알게 된 것은?

· 기억하고 싶은 하나님의 약속은?

· 아이들에게 전하고 싶은 메시지는?

가스펠 설교

15~30분

들어가기

[준비물] 어르신 복장(카디건, 회색 가발, 두꺼운 안경), **백화점 카탈로그, 의자**

어르신 복장을 하고, 백화점 카탈로그를 들고 들어온다. 무대 중앙에 놓인 의자에 앉아 카탈로그를 들어 보인다.

여러분! 지난주에 곧 손주가 태어난다는 소식을 알려 주었지요. 오늘은 이 카탈로그를 보면서 태어날 아기에게 줄 선물을 찾고 있었답니다. 갓난아기에게 어떤 선물을 주면 좋을까요? 아이들의 대답을 기다린다. 정말 좋은 생각들이에요!

오늘의 성경 이야기에 나오는 어떤 사람들은 갓난아기에게 신기한 물건들을 선물했어요. 황금과 죽은 사람을 장사지낼 때 쓰는 향수 같은 것을 주었어요. 당시에 그들이 가져왔던 황금과 몰약과 유향은 귀한 물건들이었다고 해요. 왜 그런 선물을 준비했을까요?

연대표

아브라함부터
예수님까지

마리아가
하나님을 찬양했어요

예수님이
태어나셨어요

예수님이
성전에 계셨어요

지난주에 우리는 하나님이 마리아를 예수님의 어머니로 선택하신 이야기를 들었어요. 마리아는 하나님이 원하시는 대로 자신을 사용하기 원한다고 말했어요. 연대표에서 오늘의 이야기를 가리킨다. 이번 주에는 구원자를 보내겠다는 하나님의 약속이 이루어진 일에 관해 배울 거예요. 오늘의 성경 이야기는 "예수님이 태어나셨어요"예요. 성경 이야기가 너무 궁금해서 기다리기 힘드네요! 어서 이야기 속으로 들어가 봅시다!

성경의 초점

아차, 그전에 예수님에 관한 중요한 질문을 기억하나요? **"예수님은 어떤 점에서 특별한가요?"** 대답은 무엇인가요? 아이들의 대답을 기다린다. 맞아요! **예수님은 완전한 하나님이시며, 완전한 인간이세요.** 아마도 그래서 그렇게 특별한 선물들을 받으셨나 봐요.

성경 이야기

DVD 마태복음 2장 1~12절과 누가복음 2장 1~20절을 펴고, 설교 영상(지도자용 팩)을 보여 주거나 이야기 성경을 들려준다. 이야기 성경에 나오는 성경 시대의 의상, 목자의 지팡이, 말, 왕관 등 소도구를 준비해 아이들이 직접 등장인물들을 표현하게 한다. 상황에 맞는 음향효과 파일도 준비해 표현을 풍부하게 한다.

오늘의 성경 이야기는 가장 많이 알려진 이야기 중 하나예요. 이 이야기가 얼마나 중요한지 절대 잊으면 안 돼요. **약속하신 메시아로 예수님이 오셨어요. 예수님은 완전한 하나님이시며, 완전한 인간이세요.** 우리는 해마다 예수님의 탄생을 기념해요. 이날을 무엇이라고 부르나요? 아이들의 대답을 기다린다. 맞아요! 성탄절이에요!

예수님의 탄생은 보통 아기들과 비슷하지만, 한편으론 매우 달랐어요. 하늘의 별이 탄생을 알려 주고, 천사가 선포하고, 하나님이 태어날 것을 약속한 아기는 오직 예수님뿐이었어요. 갓 태어난 아기 예수님은 가축들의 먹이 그릇인 구유에 뉘어졌어요. 하나님의 아들에게는 너무도 초라한 침대였지요. 목자들은 천사로부터 **약속하신 메시아로 예수님이 오셨다**는 소식을 들었어요. 예수님을 찾은 그들은 천사에게 들은 좋은 소식을 전했어요. 동방 박사들은 한 별을 보고 무엇인가 특별한 일이 일어나고 있다는 것을 알았어요. 그들은 이 땅에 왕으로 오신 예수님을 만나러 떠났어요. 그들은 예수님께 황금, 유향, 몰약을 선물했어요. 이 선물들은 왕을 위한 것이었어요.

가스펠 링크

하나님은 예수님이 태어나기도 전에 이미 예수님에 관한 계획을 갖고 계셨어요. **약속하신 메시아로 예수님이 오셨어요.** 예수님은 온전히 하나님께 순종하는 삶을 사셨고, 하나님에 관해 가르치셨어요. 그리고 우리를 대신해 십자가에서 죽으셨어요. 3일째 되던 날, 예수님은 죽음을 이기고 다시 살아나셔서 우리가 죄를 용서받고 하나님과 영원히 함께할 수 있는 유일한 길을 보여 주셨어요.

예수님을 믿으면 예수님은 우리의 삶을 새롭게 해 주세요. 마리아, 요셉, 목자들, 그리고 동방 박사들의 삶을 바꾸셨던 것처럼 말이에요. 예수님은 우리에게 하나님을 사랑하고 하나님께 순종하는 마음을 주셔서 우리 삶을 바꾸어 주세요.

DVD

찬양

조이풀 댄스(Joyful Dance)

마음 속에 슬픔 있나요 해결 못할 고민 있나요
모든 괴로움 주께 맡기고 우리 함께 즐거운 춤을 춰 봐요
혹시 아직도 망설이나요 나의 모습이 부끄럽나요
모든 걱정은 주께 맡기고 우리 함께 즐거운 춤을 춰 봐요

주 나를 구원하셨네 기쁨의 춤을 춰 봐요
더 크게 더 신나게 우리 주님과 함께 조이풀 댄스
모두 일어나 주님을 찬양해요
목소리 높여서 주님을 향해 원, 투, 쓰리, 포!
주 나를 구원하셨네 기쁨의 춤을 춰 봐요
더 크게 더 신나게 우리 주님과 함께 조이풀 댄스.

DVD

복음 초청

성경과 85쪽 복음 초청 가이드를 이용해서 아이들에게 그리스도인이 되는 법을 설명해 준다. 따로 상담해 줄 사람을 정해 주고 궁금한 점이 있으면 물어보도록 격려한다.

이 시간 예수님을 마음에 모시고 싶은 친구는 함께 기도해요.

기도

하나님, 우리에게 하나뿐인 아들 예수님을 보내 주셔서 감사합니다. 낮은 곳으로 오신 예수님을 바라봅니다. 우리를 죄에서 구원하기 위해 이 땅에 오신 예수님을 왕으로 모실 수 있도록 믿음을 주세요. 그리고 복음, 좋은 소식을 많은 사람에게 전할 수 있도록 성령님 인도해 주세요. 예수님의 이름으로 기도합니다. 아멘.

적용

TIP 설교 도입이나 적용으로 활용하거나 영상을 본 뒤 소그룹으로 나누어 풍성한 대화를 이어 갈 수 있습니다.

목자들과 동방 박사들의 반응은 헤롯왕이 보인 반응과 매우 달랐어요. 왜 그랬을까요? 이 질문을 생각하면서 함께 영상을 보아요.

DVD 적용 예화 영상(지도자용 팩)을 보여 준다.

왕께 드릴 선물에는 무엇이 있을지 함께 이야기해 본다. 아이들에게 만약 왕을 만난다면 어떤 선물을 가져갈지 물어본다.

아기 예수님을 찾아간 목자들과 동방 박사들은 모두 예수님을 경배했어요. 하지만 헤롯왕은 예수님을 진정한 왕으로 생각하지 않았어요. 자신의 자리를 빼앗아 가려는 왕이라고 생각했지요. 예수님이 우리의 진정한 왕이 되신다는 것은 무슨 뜻일까요? 우리는 어떤 경우에 예수님을 왕으로 경배하지 못할까요?

가스펠 소그룹

10~20분

나침반

이 땅에 오신 예수님

[준비물] 학생용 교재 18쪽, 연필이나 색연필

① 아이들에게 아래의 그림 힌트를 보고 알맞은 단어를 빈칸에 넣어 요한복음 3장 16절 말씀을 완성해 보라고 한다.

② 문장을 완성하면, 함께 반복해서 읽는다.

하나님 이 세상 을 이처럼 사랑 하사
독생자 를 주셨으니
이는 그를 믿는 자마다 멸망 하지 않고
영생 을 얻게 하려 하심이라

요한복음 3장 16절

— 요한복음 3장 16절은 하나님이 우리를 죄에서 구원하기 위해 예수님을 이 땅에 보내셨다는 것을 기억하게 해요. 우리는 성탄절에만 예수님의 탄생을 축하한다고 생각하는 경우가 많아요. 하지만 예수님이 이 세상에 오신 것은 날짜와 상관없이 어느 때라도 축하할 좋은 소식이에요! 하나님이 **약속하신 메시아로 예수님이 오셨어요.**

보물 지도

생일 축하해요, 예수님!

[준비물] 성경, 길게 자른 종이, 비닐봉지 2장(파란색, 흰색), 끈

① 길게 자른 종이에 질문을 각각 적은 후, 접어서 비닐봉지 2장에 나누어 넣는다.

② 비닐봉지에 바람을 불어 넣고 입구를 끈으로 묶은 후 예배실 곳곳에 놓아 둔다.

③ 아이들을 2팀으로 나누고, 팀별로 비닐봉지를 하나씩 잡으라고 한다.

④ 아이들에게 비닐봉지를 터트리고, 그 안에서 나온 질문을 하나씩 읽고 답을 말해 보라고 한다.

⑤ 정확한 답을 많이 말한 팀이 이긴다.

1 나사렛에 살던 마리아와 요셉은 어느 도시로 여행했나요?
다윗의 동네인 베들레헴 (눅 2:4)

2 베들레헴에 도착한 마리아와 요셉에게 무슨 일이 일어났나요?
마리아가 첫아들을 낳았다 (눅 2:6~7)

3 천사는 목자들에게 어떤 좋은 소식을 전했나요?
"오늘 다윗의 동네에 너희를 위하여 구주가 나셨으니 곧 그리스도 주시니라"라고 말했다 (눅 2:11)

4 천사들이 하늘로 올라가자 목자들은 어디로 향했나요?
베들레헴 (눅 2:15)

5 베들레헴에서 아기 예수님을 찾은 목자들은 어떻게 했나요?
천사가 아기에 관해 말한 것을 전하고, 하나님께 영광을 돌리고 찬송하며 돌아갔다 (눅 2:16~20)

6 동방에서 온 박사들은 예수님이 태어난 것을 어떻게 알았나요?
동방에서 별을 보고 알았다 (마 2:2)

7 동방 박사들이 예수님에게 드린 선물은 무엇이었나요?
황금, 유향, 몰약 (마 2:11)

8 동방 박사들이 헤롯왕에게 예수님이 있는 곳을 이야기하지 않은 이유는 무엇인가요?
꿈에서 헤롯에게 돌아가지 말라는 지시를 받았기 때문이다 (마 2:12)

9 예수님이 태어나신 이유는 무엇인가요?
예수님은 하나님이 약속하신 대로 우리를 구원할 구세주로 태어나셨다 (눅 2:11)

10 **예수님은 어떤 점에서 특별한가요?**
예수님은 완전한 하나님이시며, 완전한 인간이세요.

— 오늘 우리는 예수님이 사람으로 태어나신 이야기를 들었어요. **약속하신 메시아로 예수님이 오셨어요.** 예수님이 이 땅에 오신 기쁨의 소식을 기억하길 바라요. 또한 하나님이 신실하게 약속을 지키셨다는 사실도요. 하나님은 우리를 구원하기 위해 하나뿐인 아들 예수님을 이 땅에 보내셨어요. 그리고 예수님의 십자가 죽음과 부활로 우리를 죄에서 구원하셨어요.

탐험하기

별을 따라서

[준비물] 학생용 교재 19쪽, 72쪽, 연필이나 색연필

① 동방 박사들이 별을 따라 아기 예수님을 찾아 베들레헴으로 갔다는 사실을 이야기해 준다.

② 미로를 빠져 나가며 찾은 단어를 빈칸에 넣어 문장을 완성해 보라고 한다.

③ 예수님은 하나님이 약속하신 메시아로 이 땅에 오셨다는 것을 강조한다.

④ 지시에 따라 예수님 시대의 이스라엘 지도를 그리라고 한다.

⑤ 3과 마음 열기(33쪽)에서 예수님 시대의 이스라엘 지도 그리기 활동을 진행했다면, 아이들에게 아래 질문을 하며 예수님 시대의 이스라엘에 관해 이야기를 나눈다.

- 예수님이 태어난 곳은 어디인가요? 베들레헴
- 예수님이 자란 동네는 어디인가요? 나사렛
- 예루살렘 성전이 있는 곳은 어디인가요? 예루살렘
- 예수님이 사마리아 여인을 만난 곳은 어디인가요? 수가
- 여리고에 사는 삭개오가 지방의 이름은 무엇인가요? 유대 지방
- 이스라엘에 가장 큰 호수 이름은 무엇인가요? 갈릴리 호수, 여의도의 20배의 크기를 자랑하며 갈릴리 바다라고 불리기도 한다.
- 이스라엘에서 요단강이 흘러들어 물이 빠져나가지 않는 바다 이름은 무엇인가요? 사해, 생물이 살지 못하여 죽음의 바다, 사해라고 불린다. 세계에서 가장 낮은 사해는 일반 바다 표면보다 400m나 낮고, 일반 바닷물의 5배 정도나 되는 소금 성분을 가졌다.

TIP 매 과마다 성경 이야기 속에 지명이 나올 때, 지도를 펼쳐 지역을 짚어 보게 한다.

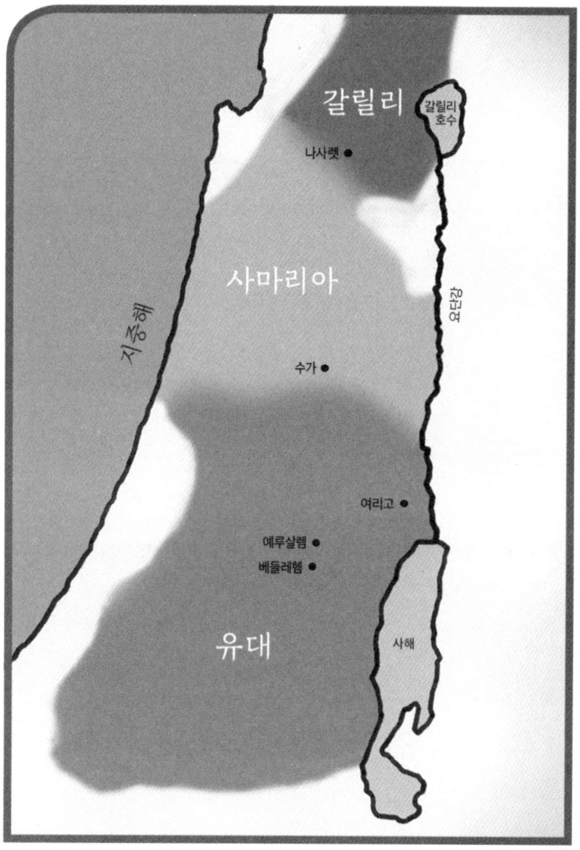

— 우리가 완성한 지도를 펼쳐서 예수님이 태어난 곳이 어디인지 짚어 보세요. 맞아요! 바로, 베들레헴이에요. 베들레헴에 큰 별이 뜬 것을 보고, 동방에 있던 박사들이 특별한 별을 따라 여행을 시작했어요. 그 별은 온 세상을 구원할 왕이 오셨다는 소식을 알려 주는 별이었어요. 동방 박사들은 왕으로 오신 구원자를 경배하기 위해 여행을 떠났고, 별이 멈춘 곳에서 아기 예수님을 만나 경배했어요. 그들은 예수님을 경배하기 위해 황금과 유향과 몰약을 준비했어요. 왕이신 **약속하신 메시아로 예수님이 오셨어요.**

좋은 소식? 나쁜 소식? *

① 인도자가 문장을 하나씩 읽으면, 좋은 소식이면 인도자의 왼쪽에, 나쁜 소식이면 인도자의 오른쪽에 서라고 한다.

- 새로운 곳으로 이사를 가게 되었어요.
- 고모가 아기를 낳으신대요.
- 동생에게 새 장난감이 생겼어요.

· 약속하신 메시아로 예수님이 오셨어요.

② 준비한 문장을 하나씩 읽는다.

③ 아이들에게 각각의 소식을 왜 좋은 소식 또는 나쁜 소식이라고 생각하는지 물어본다.

—— 어떤 소식은 생각하기에 따라 좋은 소식이 될 수도 있고, 나쁜 소식이 될 수도 있어요. 예수님이 태어나신 것은 가장 좋은 소식이지만, 헤롯왕에게는 나쁜 소식이었어요.
죄는 우리가 세상을 바르게 보지 못하게 만들어요. 때로는 하나님의 계획마저 나쁘게 생각하도록 만들어요. 예수님이 이 땅에 오신 것은 죄인들에게 정말 기쁘고 좋은 소식이에요. 예수님이 우리를 위해 십자가에서 죽으심으로 우리는 죄를 용서받고 하나님과 영원히 함께할 수 있게 되었기 때문이에요.

하나님이 숨겨 주세요 *

[준비물] 아기 인형

① 예배실 안에 아기 인형을 숨겨 둔다.

② 아이들에게 아기 인형을 찾아보라고 한다.

③ 인형을 찾으면, 이번에는 인형을 찾은 아이가 예배실 안에 인형을 숨긴다.

④ 정해진 시간 안에서 놀이를 반복한다.

—— **약속하신 메시아로 예수님이 오셨어요.** 동방 박사들은 예수님을 찾아가 경배했어요. 헤롯왕은 유대인의 왕이 태어났다는 소식을 듣고 예수님을 죽이려고 했어요. 하지만 하나님은 예수님을 보호하셨고, 예수님을 통해 사람들을 구원하시려는 계획을 이루셨어요. 하나님의 계획은 언제나 이루어져요! 하나님의 아들이신 예수님은 사람들을 죄에서 구원하고 그들의 왕이 되기 위해 이 땅에 오셨어요.

보물 상자

나만의 기록장

[준비물] 학생용 교재 20쪽, 연필이나 색연필

① 하나님이 약속하셨던 메시아가 예수님이라는 사실을 일깨워 준다.

② 동방 박사들은 예수님이 태어나신 것을 축하하기 위해 황금과 유향과 몰약을 준비했다고 말해 준다.

③ 우리를 위해 이 땅에 오신 예수님께 무엇을 선물로 드리고 싶은지 그림이나 글로 표현해 보라고 한다.

—— **예수님은 어떤 점에서 특별한가요? 예수님은 완전한 하나님이시며, 완전한 인간이세요.** 예수님은 완전한 삶을 사셨고, 죄인인 우리를 위해 기꺼이 죽으심으로 하나님께 순종하셨어요. 우리가 받아야 할 죽음의 벌을 대신 받고 부활하셔서 우리가 용서받을 수 있는 길을 만들어 주셨지요. 예수님은 우리의 왕이세요. 그리고 우리 안에 계신 성령님은 우리가 예수님을 믿고, 왕이신 예수님께 영광을 돌릴 수 있도록 도와주세요.

메시지 카드

이번 주 메시지 카드로 부모님과 함께 오늘 배운 성경 이야기를 나누어 보라고 한다.

기도

하나님, 우리를 사랑하시고 약속을 이루신 하나님을 찬양합니다. 죄로 인해 죽을 수밖에 없는 우리에게 예수님을 보내 주셔서 감사합니다. 우리의 왕이신 예수님을 찬양하며 하나님께 영광 돌리는 삶을 살아가도록 우리를 도와주세요. 예수님의 이름으로 기도합니다. 아멘.

칼럼

성경 이야기를 역동적으로 만드는 미술 작품 활용법

성경 이야기를 표현한 미술 작품(그림, 조각, 공예 등)은 교회나 가정 어디에서나 성경 말씀을 효과적으로 전할 수 있는 보조 자료입니다.

각자의 교수법(가르치는 스타일)이나 가르치는 환경, 혹은 개인적인 취향에 따라 어떤 종류의 자료를 활용할지 선택할 수 있습니다.

미술 작품을 활용해 가르칠 때 다음의 내용을 기억하십시오.

1. 미술 작품에 묘사된 인물은 우리가 가르치는 실제 인물이 아닙니다

미술 작품은 실제 인물을 표현한 예시일 뿐 실제 인물의 사진이 아닙니다. 작품의 종류가 어떤 것이든, 이것들은 실제 인물에 대한 작가의 주관적인 묘사에 불과합니다.

작가마다 같은 대상을 다르게 묘사할 수 있습니다. 우리는 아이들이 등장 인물들이 어떻게 생겼느냐에 주목하기보다 그림의 배경에 주목하도록 가르쳐야 합니다. 사실, 등장 인물들이 실제로 어떻게 생겼는지 아는 사람은 아무도 없습니다.

2. 배경에 주목하십시오

우리가 미술 작품을 활용해 성경 이야기를 전하는 목적은 잘 가르치기 위함입니다. 특정한 이야기를 위해 선택한 미술 작품은 공과에서 가르치려는 내용이나 개념을 강화시킬 수 있습니다. 성경 이야기를 담은 미술 작품을 사용할 때, 작품 자체가 보여주는 것 이외의 것을 발견하고 반응할 수 있도록 이끌어 주십시오.

아이들에게 "이 배경을 통해서 성경 이야기에 관해 어떤 것을 알 수 있을까? 이 인물들은 하나님이나 예수님에 관해 무엇을 알려 주니?"라고 질문해 보기 바랍니다.

3. 메시지를 효과적으로 전달할 수 있는 미술 작품을 선택하십시오.

개인의 취향에 맞거나 익숙한 작품 안에서만 선택하기보다 다양한 자료를 활용하는 것에 도전해 보십시오. 아이들은 대중 매체가 이끄는 사회 속에서 감당 못할 정도로 많은 이미지와 실시간 영상에 끊임없이 노출되어 살아 가고 있습니다.

그러므로 아이들이 그룹 활동을 마치고 돌아갈 때 그들 이 본 성경 이야기와 인물들이 그들이 쉽게 접하게 되는 미디어 자료만큼이나 생동감 있게 받아들여지기 위해서는 많은 노력이 필요합니다.

성경 이야기를 다룬 미술 작품은 효과적인 보조 자료입니다. 이 작품들은 어린이들의 상상력을 활짝 열어 주고 역사 속의 현장으로 빨려 들어가게 합니다. 배우는 아이들이 성경의 진리와 더욱 친밀해지고, 진리가 그들의 마음에 남도록 미술 작품을 풍성하게 활용하기 바랍니다.

팀 폴라드(Tim Pollard)는
익스플로어더바이블키즈(Explore the Bible: Kids) 팀의 팀장으로
아이들이 성경을 깊이 알 수 있게 도와주는 것에 열정적입니다.

4
예수님이 성전에 계셨어요

눅 2:40~52

단원 암송

하나님이 세상을 이처럼 사랑하사 독생자를 주셨으니 이는 그를 믿는 자마다 멸망하지 않고 영생을 얻게 하려 하심이라(요 3:16).

성경의 초점

예수님은 어떤 점에서 특별한가요?
예수님은 완전한 하나님이시며,
완전한 인간이세요.

본문 속으로

누가복음은 예수님의 어린 시절에 관해 두 가지 이야기를 소개합니다. 정결예식을 위해 그분의 부모가 아기 예수를 데리고 예루살렘에 올라갔던 일(눅 2:22~24 참조)과 예수님이 12살 때 성전에서 있었던 일(눅 2:41~51 참조)입니다. 이 이야기들은 예수님이 성인이 된 이후 행하셨던 사역의 배경이 됩니다.

마리아와 요셉은 신실한 유대인이었습니다. 그들은 모세의 율법에 따라 정결예식을 치르고 아기 예수를 하나님께 드렸습니다. 그리고 유월절을 기념하기 위해 매년 예루살렘에 갔습니다. 하나님은 일 년에 3번 하나님께 와서 절기를 지키라고 백성에게 말씀하셨습니다(신 16:16 참조). 하나님의 율법을 따르는 사람들은 해마다 예루살렘에 올라가 유월절을 기념했습니다. 유월절을 지키는 행렬은 큰 무리를 이루었습니다.

성경 시대에 유대인 소년은 13살이 되면 성인식을 치렀습니다. 그 무렵 아버지는 소년에게 성인으로서 지켜야 할 모든 사회적, 영적 책임에 대해 알려 주었습니다. 목수였던 요셉은 예수님을 목수로 훈련했을 것입니다. 예루살렘을 방문할 때에는 예수님을 데리고 도시 안 이곳저곳을 다니면서 성전의 중요성과 유월절 만찬의 목적에 관해 설명했을 것입니다.

예수님의 부모는 유월절 만찬 후 집으로 돌아가는 여정에 올랐습니다. 그들은 예수님이 함께 여행하는 동료들 사이에 있을 것이라 생각했지만 예수님은 그 무리 속에 계시지 않았습니다. 마리아와 요셉은 하루가 지나서야 아들이 없다는 사실을 알게 되었습니다. 예루살렘으로 돌아간 그들은 성전에서 예수님을 찾았습니다.

마리아는 아들에게 왜 부모를 근심하게 했냐고 물었습니다. 예수님은 마리아의 질문에 질문으로 대답하셨습니다. "내가 아버지 집에 있어야 될 줄을 알지 못하셨나이까"(눅 2:49). 그러나 마리아와 요셉은 이 말을 이해하지 못했습니다. 예수님은 자신이 하나님의 아들이었으며, 하나님이 진정한 아버지이심을 나타내셨던 것입니다. 예수님은 이 모든 일을 행하는 가운데 죄를 짓지 않으셨습니다.

●● 티칭 포인트

성경은 예수님의 어린 시절에 관해 많이 설명하지 않지만, 우리는 예수님이 지혜와 키가 자라 가며 하나님과 사람에게 더욱 사랑스러워지셨다는 것을 알고 있습니다. 세상을 자신과 화목하게 하시려는 하나님 아버지의 계획을 예수님이 몸소 이루셨다는 것을 아이들에게 강조하십시오(고후 5:19 참조).

주 제

예수님은 하나님 아버지의 계획을 이루기 위해 이 땅에 오셨어요.

가스펠 링크

예수님은 키와 지혜가 점점 더 자라 가셨어요. 하나님 아버지의 계획을 위해 준비하고 계셨던 거예요.

예수님이 성전에 계셨어요 눅 2:40~52

마리아와 요셉은 해마다 유월절을 지내기 위해 예루살렘으로 갔어요. 유월절은 유대인들이 기념하는 가장 큰 명절이에요. 많은 사람이 예루살렘에서 유월절을 기념하며, 하나님이 이스라엘 백성을 이집트의 노예 생활에서 구원하신 일을 기억했어요.

예수님이 12살이 되었을 때, 예수님은 가족과 함께 유월절을 지내려고 예루살렘에 가셨어요. 집으로 돌아갈 때가 되자 마리아와 요셉은 많은 사람과 함께 예루살렘을 떠나 나사렛으로 향했어요. 그들은 예수님이 없다는 사실을 알아차리지 못했어요. 사람들 가운데 있을 것이라고 생각했지요. 그러나 예수님은 그곳에 계시지 않았어요. 예루살렘에 남아 계셨거든요.

마리아와 요셉은 하루를 꼬박 걸어가고 난 뒤에야 예수님이 없다는 사실을 깨달았어요. 그들은 친척과 친구들 사이를 살펴보았지만 예수님을 찾지 못했어요.

마리아와 요셉은 예루살렘으로 돌아갔어요. 그리고 예수님을 찾기 위해 예루살렘을 샅샅이 살펴보았어요. 예루살렘은 큰 도시였고 예수님은 작은 아이였으니까요.

마침내 그들은 예수님을 찾았어요. 예수님은 성전에서 선생님들과 함께 계셨어요. 예수님은 선생님들의 이야기를 듣기도 하고 질문도 하셨어요. 모든 사람이 예수님의 이야기를 듣고 그의 지혜와 대답을 놀랍게 여겼어요.

예수님의 부모님도 그 모습을 보고 매우 놀랐어요. 마리아는 "얘야, 이게 무슨 일이냐? 네 아버지와 내가 너를 찾느라고 얼마나 애를 태웠는지 모른다"라고 말했어요.

예수님은 "왜 나를 찾으셨습니까? 내가 내 아버지의 집에 있어야 한다는 것을 모르셨습니까?"라고 대답하셨어요. 그러나 마리아와 요셉은 예수님의 말을 이해하지 못했어요.

예수님은 부모님과 함께 집으로 돌아가셨고, 항상 부모님께 순종하셨어요. 예수님은 자라면서 강해지고 지혜로워지셨어요. 하나님은 예수님으로 인해 기뻐하셨고 예수님을 아는 모든 사람도 마찬가지였어요.

●● 가스펠 링크

예수님은 아이였지만 하나님 아버지의 계획을 이루기 원하셨어요. 예수님은 키와 지혜가 점점 더 자라가셨어요. 하나님 아버지의 계획을 위해 준비하고 계셨던 거예요. 그 계획은 예수님이 십자가에서 죽으심으로 모든 사람을 죄에서 구원하는 것이었어요.

가스펠 준비 10~20분

*는 선택 활동입니다.

환영

도착하는 아이들을 반갑게 맞이하고 헌금, 출석, QT 등을 확인하며 격려한다. 새 친구가 있다면 소개한다. 편안한 분위기에서 안부를 물으며 오늘의 말씀과 관련된 화제로 이야기를 나눈다. 미술관이나 놀이동산에서 부모님을 잃어버린 경험이 있는지 물어본다. 자발적으로 대화에 참여하도록 이끈다.

예) "공공장소에서 가족을 잃어버린 적이 있나요?", "그때 기분이 어땠나요?", "어떻게 가족을 다시 만났나요?" 등.

— 밖에 나갔다가 가족을 잃어버리면 정말 무서울 거예요. 여러분도 부모님도 말이에요. 오늘 성경 이야기에는 아이를 잃어버린 사람들의 이야기가 나와요. 과연 아이와 부모님이 다시 만났을까요?

마음 열기

뜨겁게 차갑게 *

[준비물] 장난감

① 장난감 하나를 예배실에 미리 숨겨 둔다.

② 아이들에게 숨긴 장난감을 찾아보라고 한다.

③ 아이들이 장난감에 가까이 가면 "뜨겁다"라고 말하고, 장난감에서 멀어지면 "차갑다"라고 말해 준다.

④ 장난감을 찾은 후, 힌트가 없었다면 어땠을지 아이들과 이야기를 나눈다.

— 오늘 성경 이야기에서 마리아와 요셉은 예수님을 찾아 헤맸어요. 예수님을 찾을 수 있는 가장 큰 힌트를 잊고 있었던 거예요. 그 힌트는 무엇인지 성경 이야기를 들으며 함께 알아보아요!

키 재기 *

[준비물] 줄자, 의자

① 아이들에게 인도자의 키가 얼마나 될 것 같은지 물어보고, 줄자를 이용해 실제 키를 재어 본다.

② 아이들에게 어른이 되면 키가 얼마나 클 것 같은지 물어보고, 한 명씩 의자에 올라가게 해 키를 잰다.

— 어른이 되면 여러분 모두 지금보다 키가 훨씬 더 자라게 될 거예요. 아마 저보다 더 클 수도 있어요! 우리는 지난주에 아기의 모습으로 이 땅에 오신 예수님에 관해 배웠어요. 오늘 성경 이야기에는 12살이 된 예수님이 나와요! 예수님도 우리처럼 키가 자라고 어른이 되어 갔어요. 하지만 우리와 달랐어요. 무엇이 달랐을까요? 오늘 성경 이야기 속에서 한번 찾아보세요!

교사를 위한 기록장 이 과를 준비하면서 깨닫게 된 묵상을 정리해 보세요.

· 하나님이나 나에 대해 새롭게 알게 된 것은?

· 기억하고 싶은 하나님의 약속은?

· 아이들에게 전하고 싶은 메시지는?

가스펠 설교

15~30분

들어가기

[준비물] 어르신 복장(카디건, 회색 가발, 두꺼운 안경), **의자**

어르신 복장을 하고, 안경을 머리에 끼고 들어온다. 무대 중앙에 놓인 의자에 앉아 눈을 가늘게 뜨고 아이들을 바라본다.

안녕하세요! 여러분 맞지요? 오늘 안경이 없어서 앞을 보기가 힘드네요. 안경을 찾으려 해도 안경이 없으니 앞이 잘 보이지 않아요! 여러분 혹시 제 안경 보셨어요? 저한테 꼭 필요하거든요. 아이들의 대답을 기다린다. 아, 맞아요! 머리에 올려놓았지요. 안경을 내려서 쓴다. 이제 됐어요. 훨씬 잘 보이네요! 물건이 제자리에 있는데도 잃어버렸다고 생각하다니, 정말 우습군요.

그러고 보니 오늘의 성경 이야기가 생각나네요. 자신이 있어야 할 곳에 있었던 한 소년에 관한 이야기예요. 그러나 소년의 부모는 그를 잃어버렸다고 생각했어요! 무슨 이야기인지 궁금하지 않나요? 어서 성경 이야기를 들으러 가 봅시다!

연대표

아브라함부터
예수님까지

마리아가
하나님을 찬양했어요

예수님이
태어나셨어요

예수님이
성전에 계셨어요

지난주 성경 이야기는 아기 예수님에 관한 이야기였어요. 우리는 **약속하신 메시아로 예수님이 오셨다**는 것을 배웠어요. 이번 주에 배울 성경 이야기 속의 예수님은 지난주보다 좀 더 자란 예수님에 관해 이야기를 나눌 거예요. 정확히는 12살이 된 예수님이지요. 연대표에서 오늘의 성경 이야기를 가리킨다. 오늘의 성경 이야기는 "예수님이 성전에 계셨어요"예요.

성경의 초점

아이들은 대부분 부모님과 함께 있지만 예수님은 보통 아이들과는 달랐어요. 어떤 점이 달랐나요? '성경의 초점'을 함께 외쳐 볼까요? **예수님은 어떤 점에서 특별한가요? 예수님은 완전한 하나님이시며, 완전한 인간이세요.**

성경 이야기

DVD 누가복음 2장 40~52절을 펴고, 설교 영상(지도자용 팩)을 보여 주거나 이야기 성경을 들려준다. 인도자가 '예수님'이라는 단어를 말할 때마다 아이들이 "하나님의 아들!"이라고 외치게 한다. 예수님이라는 단어를 말할 때마다 살짝 틈을 주어 아이들이 언제 외쳐야 할지 알려 준다.

유월절은 하나님이 이스라엘 백성을 이집트의 노예 생활에서 구원하신 일을 기억하는 날이에요. 유대인들에게 매우 중요한 명절이지요. 유월절이 되면 이스라엘 백성은 예루살렘에 모였어요.

예수님이 12살 되던 해 마리아와 요셉은 예수님과 함께 유월절을 지키려고 예루살렘으로 올라갔어요. 명절이 끝나자 마리아와 요셉은 집으로 돌아가기 위해 예루살렘을 떠났어요. 그들은 예수님이 같이 여행하는 사람들과 함께 있다고 생각했어요. 하지만 꼬박 하루가 지나고 나서야 예수님이 사람들 가운데 있지 않다는 사실을 알게 되었어요.

아이가 없어졌다는 것은 부모에게 정말 두렵고 무서운 일이에요. 머리 속이 백지가 된 것처럼 아무 생각이 들지 않았을 거예요. 마리아와 요셉은 서둘러 예루살렘으로 돌아가 예수님을 찾았어요. 성경은 그들이 3일이 지난 후에야 예수님을 찾았다고 말해요! 3일이라는 시간은 정말 많은 일이 일어날 수 있는 시간이에요. 마리아와 요셉은 너무나 걱정되었을 거예요.

그들이 예수님을 찾은 곳은 어디였나요? 아이들의 대답을 기다린다. 그들은 성전에서 예수님을 찾았어요. 예수님은 성전에서 선생님들과 이야기를 나누고 계셨어요. 사람들은 하나님과 율법에 관한 예수님의 지식과 지혜에 매우 놀랐어요. 예수님은 걱정하는 마리아에게 자신은 아버지의 집에 있어야 한다고 말씀하셨어요. 하지만 마리아와 요셉은 이해하지 못했어요. 예수님은 하나님 아버지를 이야기하신 것이었어요.

가스펠 링크

예수님은 어렸지만 하나님의 아들로서 자신이 누구이며, 무슨 일을 해야 하는지 잘 알고 계셨어요. **예수님은 하나님 아버지의 계획을 이루기 위해 이 땅에 오셨어요.** 예수님의 순종을 막을 수 있는 것은 아무것도 없었어요. 예수님은 키가 자라며 지혜도 충만해졌어요. 하나님은 예수님이 하나님의 계획에 순종해 십자가에서 죽으심으로 사람들을 죄에서 구원할 수 있도록 예수님을 축복하셨어요.

예수님을 믿으면 하나님은 우리 죄를 용서하시고 하나님의 자녀가 되게 해 주세요. 우리 안에 계신 성령님은 우리가 하나님을 더욱 사랑하고 하나님께 순종할 수 있도록 힘을 주세요. 예수님이 하나님의 뜻에 순종하신 것처럼, 우리는 세상에 복음을 전하기 원하시는 하나님의 뜻을 따를 수 있어요.

찬양

조이풀 댄스(Joyful Dance)

마음 속에 슬픔 있나요 해결 못할 고민 있나요
모든 괴로움 주께 맡기고 우리 함께 즐거운 춤을 춰 봐요
혹시 아직도 망설이나요 나의 모습이 부끄럽나요
모든 걱정은 주께 맡기고 우리 함께 즐거운 춤을 춰 봐요

주 나를 구원하셨네 기쁨의 춤을 춰 봐요
더 크게 더 신나게 우리 주님과 함께 조이풀 댄스
모두 일어나 주님을 찬양해요
목소리 높여서 주님을 향해 원, 투, 쓰리, 포!
주 나를 구원하셨네 기쁨의 춤을 춰 봐요
더 크게 더 신나게 우리 주님과 함께 조이풀 댄스.

복음 초청

성경과 85쪽 복음 초청 가이드를 이용해서 아이들에게 그리스도인이 되는 법을 설명해 준다. 따로 상담해 줄 사람을 정해 주고 궁금한 점이 있으면 물어보도록 격려한다.

이 시간 예수님을 마음에 모시고 싶은 친구는 함께 기도해요.

기도

하나님, 우리를 구원하기 위해 예수님을 보내 주셔서 감사합니다. 온전히 하나님의 뜻에 순종하신 예수님을 바라봅니다. 우리도 예수님처럼 키가 자라며 지혜가 자라게 해 주세요. 언제 어디서나 하나님의 영광을 위해 살도록 함께해 주세요. 예수님의 이름으로 기도합니다. 아멘.

적용

TIP 설교 도입이나 적용으로 활용하거나 영상을 본 뒤 소그룹으로 나누어 풍성한 대화를 이어 갈 수 있습니다.

'성경의 초점'의 질문과 답은 예수님에 관한 아주 중요한 사실을 기억하게 해요. **예수님은 어떤 점에서 특별한가요? 예수님은 완전한 하나님이시며, 완전한 인간이세요.**

예수님은 아이였지만 하나님 아버지의 계획을 이루기 원하셨어요. 이 사실은 우리에게 무엇을 가르쳐 주나요?

적용 예화 영상(지도자용 팩)을 보여 준다.

아이들이 매일 하나님과 함께할 시간을 따로 구분하는지 또는 정기적으로 교회에서 봉사하는지 물어본다. 그 일을 실천하기 위해서 어떻게 해야 하는지 이야기를 나눈다.

하나님은 우리를 통해 영광 받으시려고 우리를 창조하셨어요. 우리가 하나님께 영광을 돌릴 수 있는 방법 중 하나는 다른 사람들에게 예수님을 전하는 것이에요. **예수님은 하나님 아버지의 계획을 이루기 위해 이 땅에 오셨어요.** 예수님은 우리가 하나님의 계획에 순종할 수 있도록 성령님을 통해 힘을 주세요.

가스펠 소그룹

10~20분

나침반

단어를 찾아라!

[준비물] 학생용 교재 24쪽, 연필이나 색연필

① 보기에서 알맞은 단어를 찾아 요한복음 3장 16절 말씀을 완성하게 한다.

② 완성한 암송 구절을 함께 큰 소리로 반복해서 읽는다.

하 나 님 이 세 상 을

이처럼 사 랑 하사

독 생 자 를 주셨으니

이는 그를 믿 는 자마다

멸 망 하지 않고

영 생 을 얻게 하려

하심이라

요한복음 3장 16절

— 마리아와 요셉은 예수님을 잃어버렸다가 찾았어요. 예수님은 예루살렘 성전에 남아 계셨는데, 성전은 바로 진정한 아버지의 집이었기 때문이에요. **예수님은 하나님 아버지의 계획을 이루기 위해 이 땅에 오셨어요.** 그 계획은 바로 우리와 같은 죄인을 구원하는 일이에요.

보물 지도

찾아라! 예수님 이야기

[준비물] 성경, 색인 카드, 사인펜

① 아래의 성경 구절을 색인 카드에 적어 2세트를 만들어 둔다.

· 마리아와 요셉은 해마다 예루살렘으로 갔어요. (눅 2:41)

· 예수님이 12살이 되었을 때 부모님과 함께 예루살렘에 가셨어요. (눅 2:42)

· 예수님은 예루살렘에 남아 계셨어요. (눅 2:43)

· 집으로 돌아가던 마리아와 요셉은 하루가 지나서야 예수님이 없다는 사실을 알아차렸어요. (눅 2:44)

· 마리아와 요셉이 예수님을 찾았을 때, 예수님은 성전에 계셨어요. (눅 2:46)

· 사람들은 예수님의 지식과 지혜에 놀랐어요. (눅 2:47)

· 예수님은 자신이 아버지의 집에 있어야 한다고 말씀하셨어요. (눅 2:49)

· 예수님은 지혜와 키가 자라 갔고, 하나님은 예수님을 축복하셨어요. (눅 2:52)

② 아이들을 2팀으로 나누고, 색인 카드를 나누어 준다.

③ 성경을 참고해 시간 순서대로 배열해 보라고 한다.

④ 먼저 끝낸 팀은 손을 들고, 나열한 순서대로 성경 이야기를 읽어 보라고 한다.

— 성경 이야기를 아주 잘 정리했어요. 예수님은 성전에 계셨어요. 그곳이 바로 예수님이 속한 아버지의 집이었기 때문이에요. 예수님은 아이였지만 이 세상에 온 목적을 알고 계셨어요. **예수님은 하나님 아버지의 계획을 이루기 위해 이 땅에 오셨어요.** 예수님은 하나님께 순종해 십자가에서 우리의 죄 때문에 죽으셨어요! 그리고 죽음에서 부활하셔서 우리를 구원하셨어요.

탐험하기

성전에 계신 예수님

[준비물] 학생용 교재 25쪽, 연필이나 색연필

① 두 그림을 보고 다른 부분 7군데를 찾아 O표 하게 한다.

② 예수님이 부모님과 떨어져 성전에서 무엇을 하셨는지 이야기를 나눈다.

— 예수님은 예루살렘 성전에 남아 계셨어요. 그곳은 예수님이 계셔야 할 곳, 바로 하나님 아버지의 집이었기 때문이에요. **예수님은 하나님 아버지의 계획을 이루기 위해 이 땅에 오셨어요.** 예수님은 하나님의 뜻에 순종해 십자가에서 죽으심으로 우리를 죄에서 구원하려는 하나님의 계획을 이루셨어요. 이제 우리는 예수님을 통해 하나님께 영광을 돌리고, 다른 사람들에게 복음을 전할 수 있어요. 이것이 우리를 향한 하나님의 계획이에요!

여행을 떠나요! *

① 아이들에게 1번부터 차례대로 번호를 정해 주고, 다함께 교회의 다른 장소로 여행을 떠난다.

TIP 교회 안의 다른 예배실을 방문한다면, 미리 알려서 준비할 수 있게 한다.

② 돌아올 때는 아이들의 번호를 불러 모두 있는지 확인한 후 예배실로 들어온다.

— 우리처럼 적은 인원을 확인할 때는 지금처럼 숫자를 세면 쉬워요. 하지만 인원이 많으면 모든 사람의 수를 세는 것이 어려울 거예요. 마리아와 요셉은 예루살렘을 떠나면서 예수님이 함께하는 사람들 속 어딘가에 있을 것이라 생각했어요. 그러나 예수님은 성전에 계셨어요. **예수님은 하나님 아버지의 계획을 이루기 위해 이 땅에 오셨어요.** 예수님이 하나님의 계획에 온전히 순종하셨기 때문에 우리는 죄를 용서받고 영원히 하나님과 함께할 수 있게 되었어요.

쑥쑥 자라요! *

① 사람은 누구나 아기로 태어나 자라서 할아버지나 할머니가 된다는 사실을 말해 준다.

② 아이들에게 '아기'처럼 무릎으로 기어 다니며 2명씩 짝을 지어 가위바위보를 하라고 한다.

③ 가위바위보에서 이긴 사람은 다음 단계인 '어린이'가 되어 엉덩이로 앉은 채 움직일 수 있다고 말해 준다.

④ '어린이' 단계에서 가위바위보를 해 이긴 사람은 '어른'이 되어 걸어 다닐 수 있다고 알려 준다.

⑤ 정해진 시간 안에서 놀이를 진행한다.

— 성경은 예수님이 자라 가며 지혜로워졌다고 말해요. 하나님의 계획에 온전히 순종하신 예수님은 우리를 대신해 십자가에서 죽으시고 3일 만에 부활하셨어요. 이제 예수님을 믿으면 죄를 용서받고 하나님의 자녀가 될 수 있어요.

보물 상자

나만의 기록장

[준비물] 학생용 교재 26쪽, 연필이나 색연필

① 아이들에게 3살과 5살 때 모습을 그리고, 현재의 모습을 그려 보라고 한다.

② 지금까지 지켜 주신 하나님께 감사한 것 3가지를 적어 보라고 한다.

③ 서로 감사한 내용을 나누며 하나님께 감사 기도를 드린다.

— 속도는 다르지만 우리는 하나님의 가족으로 함께 자라 가요. 함께 성경을 읽거나, 교회에 가거나, 기도하면서 하나님 안에서 자라지요. 하나님은 우리를 통해 영광 받으시기를 원하세요. 그리고 우리가 다른 사람들에게 하나님의 위대한 사랑을 전하기 원하세요.

메시지 카드

이번 주 메시지 카드로 부모님과 함께 오늘 배운 성경 이야기를 나누어 보라고 한다.

기도

하나님, 지혜와 사랑이 넘치는 예수님의 어린 시절을 배웠습니다. 우리도 더욱더 하나님을 사랑하고, 하나님께 순종하는 어린이가 되도록 함께해 주세요. 하나님이 주시는 지혜와 사랑이 가득해져서 많은 사람에게 예수님을 전하는 우리가 되도록 인도해 주세요. 예수님의 이름으로 기도합니다. 아멘.

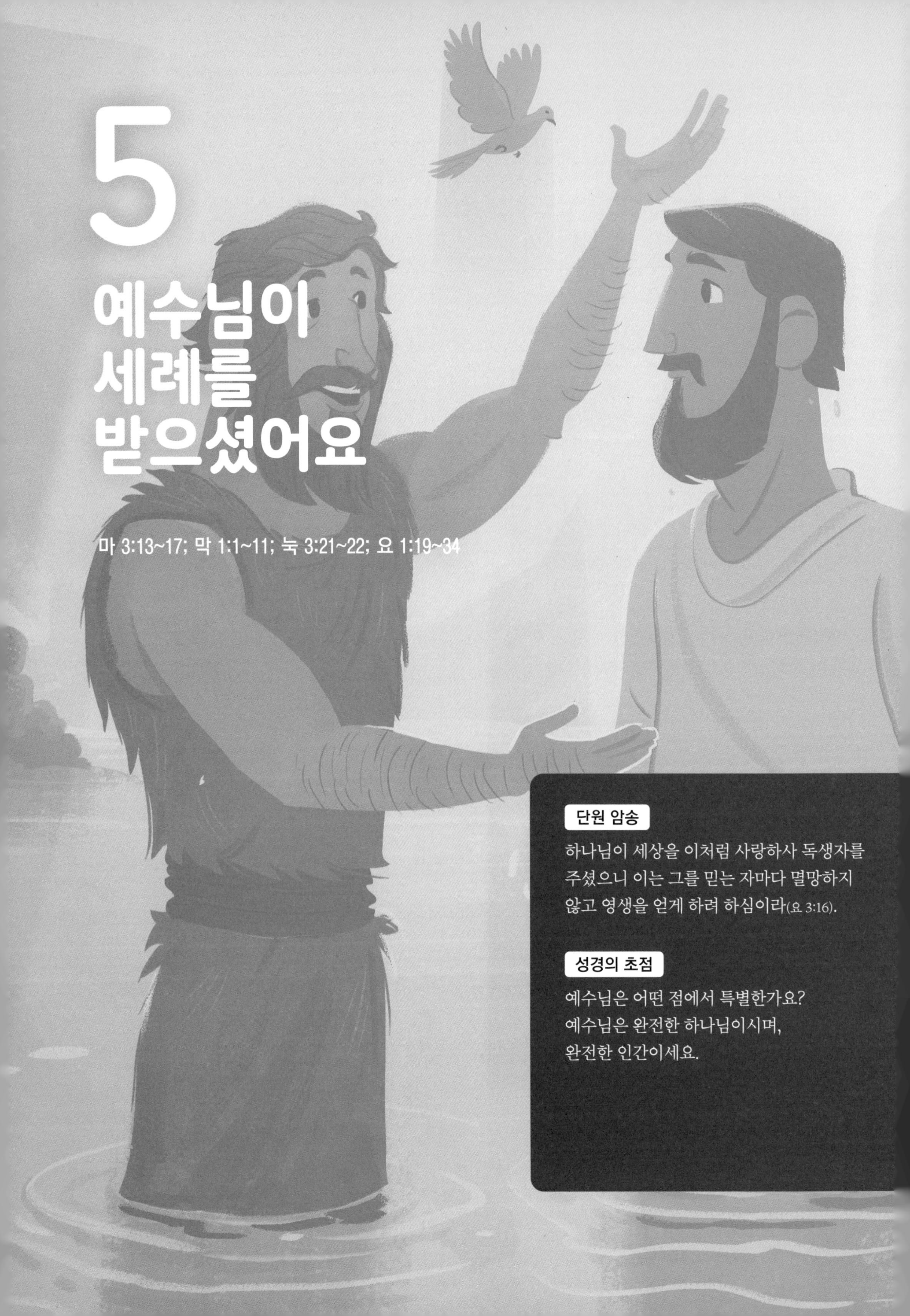

5

예수님이 세례를 받으셨어요

마 3:13~17; 막 1:1~11; 눅 3:21~22; 요 1:19~34

단원 암송

하나님이 세상을 이처럼 사랑하사 독생자를
주셨으니 이는 그를 믿는 자마다 멸망하지
않고 영생을 얻게 하려 하심이라(요 3:16).

성경의 초점

예수님은 어떤 점에서 특별한가요?
예수님은 완전한 하나님이시며,
완전한 인간이세요.

본문 속으로

사가랴의 아들인 요한은 광야에서 성장했습니다. 그의 사역은 하나님의 말씀이 그에게 임하면서 시작되었습니다. 요한은 요단강 근처에서 장차 오실 예수님을 위해 사람들을 준비시킴으로써 구약의 예언을 이루었습니다. "외치는 자의 소리여 이르되 너희는 광야에서 여호와의 길을 예비하라 사막에서 우리 하나님의 대로를 평탄하게 하라"(사 40:3).

요한은 사람들에게 죄를 회개하도록 요청했고 요단강에서 세례(침례)를 주었습니다. 그는 사람들에게 바르게 사는 방법을 가르쳤습니다(눅 3:10~14 참조). 어떤 사람들은 요한이 메시아라고 생각했지만, 요한은 "나보다 능력이 많으신 이가 오시나니"(눅 3:16)라고 말했습니다.

갈릴리에 계시던 예수님은 요단강으로 오셔서 요한에게 세례를 받으셨습니다. 여기서 한 가지 생각해 볼 것이 있습니다. 요한은 죄 사함을 받게 하는 회개의 세례를 전파했습니다. 그러나 예수님은 결코 죄를 짓지 않으셨습니다(히 4:15; 고후 5:21 참조). 그렇다면 죄가 없으신 예수님은 왜 세례를 받으려고 하셨을까요? 요한이 세례를 받으러 오신 예수님께 "내가 당신에게서 세례를 받아야 할 터인데 당신이 내게로 오시나이까"(마 3:14)라고 말한 것은 결코 틀린 말이 아니었습니다.

예수님이 왜 세례를 받으셨는지에 대한 해석은 다양합니다. 이는 예수님이 세례 요한의 사역을 인정하신 것일 수 있습니다. 어쩌면 죄인들과 자신을 동일시하고 그분의 죽음과 장례, 부활을 통해 죄인이 어떻게 구원받는지를 보여 주기 위해 세례를 받으셨는지도 모릅니다. 예수님은 세례 요한에게 답하셨습니다. "이제 허락하라 우리가 이와 같이 하여 모든 의를 이루는 것이 합당하니라"(마 3:15).

●● 티칭 포인트

아이들과 함께 공부하면서 아이들과 함께 세례에 대해 이야기를 나누어 보십시오. 세례가 우리를 구원하는 것이 아니라는 사실을 강조하십시오. 세례는 우리가 구원받았음을 나타내는 하나의 방법임을 알려 주십시오. 세례는 우리가 예수님을 믿을 때 죄에 대하여 죽고 예수님을 위해 사는 새로운 생명 가운데서 살게 된다는 사실을 기억하게 합니다(롬 6:3~4 참조).

주 제

예수님은 죄인들처럼 세례를 받으셨어요.

가스펠 링크

예수님은 죄가 없으셨지만 죄인들처럼
세례를 받으셨어요. 세례는 예수님의
죽음과 부활을 상징해요.

예수님이 세례를 받으셨어요 마 3:13~17; 막 1:1~11; 눅 3:21~22; 요 1:19~34

세례 요한은 광야에서 살았어요. 그는 낙타의 털로 만든 옷을 입고, 가죽으로 된 띠를 허리에 둘렀어요. 그리고 메뚜기와 꿀을 먹었지요. 세례 요한은 사람들에게 큰 소리로 외쳤어요. "회개하고 세례를 받으십시오! 천국이 가까이 왔습니다!"

어떤 사람들이 요한에게 가서 물었어요. "당신은 누구입니까?" 요한은 "나는 그리스도가 아닙니다"라고 대답했어요. 그리고 자신은 엘리야도 아니며, 하나님이 모세의 뒤를 이어 보내겠다고 약속하신 그 선지자도 아니라고 말했어요.

"그렇다면 당신은 누구란 말입니까?"라고 사람들이 물었어요. 요한은 자신이 이사야 선지자가 말한 사람이라고 말했어요. "나는 '주를 위해 길을 곧게 하라!'라고 광야에서 외치는 사람의 소리요."

요한에게는 매우 중요한 임무가 있었어요. 하나님이 약속하신 메시아인 예수님이 오시기 전에 사람들을 준비시키는 것이었어요. 요한의 말을 들은 사람들은 회개하기 시작했어요. 그들은 죄에서 돌이켜 하나님께 용서를 구했어요. 요한은 요단강에서 사람들에게 세례를 주었어요. 세례는 사람들의 죄가 씻겼음을 상징해요.

요한이 말했어요. "나보다 능력이 더 많으신 분이 내 뒤에 오실 텐데 나는 그분의 신발 끈을 풀 자격도 없습니다." 그리고 계속해서 "나는 여러분에게 물로 세례를 주지만 그분은 여러분에게 성령으로 세례를 주실 것입니다"라고 말했어요. 어른이 된 예수님이 요한에게 세례를 받으시려고 갈릴리 나사렛에서 요단강으로 오셨어요. 예수님을 본 요한은 "보시오, 세상 죄를 지고 가는 하나님의 어린양이십니다!"라고 말했어요.

예수님은 요한에게 세례를 받으려 하셨어요. 그러나 요한은 자신이 예수님께 세례를 주는 것이 옳지 않다고 생각해 예수님을 말렸어요. "제가 오히려 선생님께 세례를 받아야 하는데, 당신이 제게 오시다니요!" 요한은 혼란스러웠어요. 그는 자신의 죄를 고백하는 사람들에게 세례를 주었지만, 예수님은 아무 죄도 짓지 않으셨기 때문이에요!

예수님이 말씀하셨어요. "지금은 그렇게 하도록 하여라. 이렇게 해서 우리가 모든 의를 이루는 것이 옳다." 요한은 그 말을 따라 예수님께 세례를 베풀었어요.

세례를 받으신 예수님이 물에서 올라오셨어요. 그때 하늘이 열리고 성령이 비둘기같이 내려와 예수님에게 임하셨어요. 그리고 하늘에서 소리가 들려왔어요. "이는 내가 사랑하는 아들이다. 내가 그를 기뻐한다!"

●● 가스펠 링크

예수님은 죄가 없으셨지만 죄인들처럼 세례를 받으셨어요. 세례는 예수님의 죽음과 부활을 상징해요. 또한 우리가 예수님을 믿을 때, 죄에서 돌이켜 예수님을 위해 사는 새로운 삶을 살게 된다는 사실을 기억하게 해요.

가스펠 준비

10~20분

*는 선택 활동입니다.

환영

도착하는 아이들을 반갑게 맞이하고 헌금, 출석, QT 등을 확인하며 격려한다. 새 친구가 있다면 소개한다. 편안한 분위기에서 안부를 물으며 오늘의 말씀과 관련된 화제로 이야기를 나눈다. '세례(침례)'라는 말의 뜻을 아는지 물어본다. 아이들에게 세례식을 본 적이 있는지 물어본다. 자발적으로 대화에 참여하도록 이끈다.

예) "세례가 무엇인지 아나요?", "세례식을 본 적이 있나요?" 등.

— 세례는 예수님과 함께 죄에 대해 죽고, 예수님의 새 생명으로 다시 태어나는 것을 의미해요. 나아가 예수님을 믿지 않는 사람들에게 복음의 상징이 되기도 하지요. 그래서 예수님을 믿는 자들에게 세례는 특별한 사건이에요. 오늘 성경 이야기에는 특별한 세례가 나와요. 그가 세례를 받자 여러 가지 일이 벌어졌어요. 어떤 일이었을까요? 함께 알아보기로 해요.

마음 열기

하늘에서 들리는 소리 *

[준비물] 종이, 사인펜

① 종이에 "이는 내 사랑하는 아들이요 내 기뻐하는 자라"라고 적어 둔다.

② 아이들을 한 줄로 세우고, 모두 뒤로 돌아 눈을 감으라고 한다.

③ 맨 앞에 있는 아이에게 종이에 쓴 문장을 보여 주고, 뒤에 있는 아이에게 귓속말로 전달하라고 한다.

④ 마지막에 있는 아이에게 들은 말을 크게 말하게 하고, 종이에 쓴 문장을 보여 주며 확인한다.

TIP 다양한 문장 또는 단어를 준비해 흥미를 유발해도 좋다.

— 이 말은 누가 한 말일까요? 하늘에서 들리는 소리였어요. 바로 하나님이 예수님에 관해 하신 말씀이었어요. 어떤 일이 있었는지 오늘의 성경 이야기를 함께 들어 보아요.

빙고 게임('세'로 시작하는 단어) *

[준비물] 종이, 연필이나 색연필

① 종이와 연필을 나누어 주고, '세'로 시작하는 단어를 9개 이상 적어 보라고 한다.

② 아이들이 적은 단어를 함께 확인해 본다. 단어 중에 '세례'가 없다면, 그 단어를 알려 준다.

③ 종이에 3×3 빙고판을 그리고, '세'로 시작하는 단어로 빈칸을 채우라고 한다.

④ 순서대로 한 단어씩 말하며 빙고 게임을 한다.

⑤ 가로나 세로, 대각선으로 먼저 3줄을 완성한 사람이 이긴다.

— '세'로 시작하는 단어가 참 다양하지요? 여러분이 적은 '세'로 시작하는 단어 중에서 '세례'는 아주 중요한 단어예요. 왜냐하면 세례는 하나님이 하나님을 믿는 사람에게 주신 변화를 세상에 보여 주는 표시이기 때문이에요. 오늘은 성경 이야기를 통해 세례에 관해 배울 거예요.

교사를 위한 기록장 이 과를 준비하면서 깨닫게 된 묵상을 정리해 보세요.

· 하나님이나 나에 대해 새롭게 알게 된 것은?

· 기억하고 싶은 하나님의 약속은?

· 아이들에게 전하고 싶은 메시지는?

가스펠 설교

15~30분

들어가기

[준비물] 어르신 복장(카디건, 회색 가발, 두꺼운 안경), **의자, 가족사진**

어르신 복장을 하고 가족사진을 들고 들어온다. 무대 중앙에 놓인 의자에 앉는다.

여러분, 다시 만나 반가워요. 여러분을 만나는 것은 큰 기쁨이에요. 저는 최근에 제 딸과 세례에 관해 이야기를 나누었어요. 손자가 예수님을 믿게 되었고, 이제 세례받을 준비가 되었거든요. 제 딸과 저는 우리 집 막내가 세례를 받고 나서 고양이에게 세례를 주려고 했었던 일을 떠올리며 함께 웃었어요. 그게 벌써 30년도 더 된 일이라니, 정말 믿어지지 않네요! 아무튼, 세례 이야기를 나누면서 예수님의 세례에 관한 성경 이야기가 생각났어요. 오늘은 그 이야기를 들려줄게요.

연대표

아브라함부터
예수님까지

마리아가
하나님을 찬양했어요

예수님이
태어나셨어요

예수님이
성전에 계셨어요

예수님이
세례를 받으셨어요

예수님이
시험을 이기셨어요

지난 성경 이야기들을 함께 복습해 볼까요? 연대표에서 지난 성경 이야기들을 가리킨다. 먼저 예수님의 가계에 대해 배웠어요. **예수님은** 하나님이 약속하신 대로 **아브라함과 다윗의 자손으로 오셨어요.** 그다음 주에는 무엇을 배웠는지 기억하는 사람이 있나요? **하나님이 마리아를 예수님의 어머니로 선택하셨어요.** 그러나 예수님의 진정한 아버지는 하나님이셨어요. 그다음에는 예수님이 이 땅에 태어나신 이야기를 들었지요. **약속하신 메시아로 예수님이 오셨어요.** 그리고 지난주에는 예수님이 성전에 계신다는 것에 관한 성경 이야기를 배웠어요. **예수님이 하나님 아버지의 계획을 이루기 위해 이 땅에 오셨다**는 것도 배웠지요. 연대표에서 오늘의 성경 이야기를 가리킨다. 이번 주 성경 이야기는 "예수님이 세례를 받으셨어요"예요.

성경의 초점

우리는 성경에서 예수님의 삶을 통해 사실로 드러난 많은 이야기를 살펴보았어요. '성경의 초점'의 질문을 기억하나요? **"예수님은 어떤 점에서 특별한가요?"** 대답을 함께 말해 보아요. **"예수님은 완전한 하나님이시며, 완전한 인간이세요."**

성경 이야기

DVD 마태복음 3장 13~17절, 마가복음 1장 1~11절, 누가복음 3장 21~22절, 요한복음 1장 19~34절을 펴고, 설교 영상(지도자용 팩)을 보여 주거나 이야기 성경을 들려준다. 인도자는 세례 요한처럼 꾸미고 성경 이야기를 들려준다. 아래위가 붙어 하나로 된 헐렁한 옷에 가죽 벨트를 하고 수염을 단 채로 꿀이 담긴 통을 손에 든다.

우리는 마리아의 사촌 엘리사벳에 대해 배웠어요. 엘리사벳의 아들 이름은 무엇인가요? 아이들의 대답을 기다린다. 맞아요. 요한이에요. 훗날 그 소년은 사람들에게 세례 요한이라고 불렸어요. 그는 사람들이 예수님을 맞을 수 있도록 준비하게 했어요.

사람들은 세례 요한에게 와서 세례(침례)를 받았어요. 죄를 자백하고 죄에서 돌이키면, 세례 요한은 그들을 물에 담그고 일으켜 세웠어요. 하나님이 그들의 죄를 씻어 주신 것을 나타냈지요. 이것을 바로 세례라고 불러요.

예수님이 오셔서 세례 요한에게 세례를 받으려 하셨을 때, 그는 상황을 잘 이해하지 못했어요. 세례 요한은 예수님이 완전하시고 회개할 만한 죄가 없다는 것을 알았어요! 세례 요한은 오히려 자신이 예수님에게 세례를 받아야 한다고 생각했어요! 그러나 하나님의 계획에는 예수님의 세례가 포함되어 있었고, **예수님은 죄인들처럼 세례를 받으셨어요.** 예수님이 세례를 받으신 후에 놀라운 일이 일어났어요. 하늘이 열리고, 하나님의 성령이 비둘기 같이 내려와 예수님 위에 임하셨어요. 그리고 "이는 내 사랑하는 아들이요 내 기뻐하는 자라"(마 3:17 참조)라고 하나님이 말씀하셨어요. 이전의 어떤 세례에도 그와 같은 일은 없었어요! **예수님은 어떤 점에서 특별한가요? 예수님은 완전한 하나님이시며, 완전한 인간이세요.** 예수님은 세례를 받으며 죄에서 돌이켰다는 것을 나타내 보이실 필요가 없었어요. 죄가 없으셨기 때문이지요! 그러나 하나님은 예수님이 세례를 받음으로써 세상에 예수님이 하나님의 아들이시고 우리가 예수님을 따라야 한다는 것을 세상이 알게 하셨어요.

가스펠 링크

세례는 복음의 상징이에요. 세례는 하나님을 믿는 사람이 예수님이 십자가에서 죽으시고, 3일 만에 부활하신 것을 세상에 보이는 방법이에요.

하나님을 믿는 사람이 물에 들어갈 때, 그것은 그 사람의 옛 모습을 상징해요. 죄로 인해 죽은 모습이지요. 그 사람이 물 밖으로 나오는 것은 예수님을 믿을 때 그분이 주시는 새로운 삶을 나타내요. 예수님은 우리의 죄를 위해 죽으시고 다시 사셨기 때문에 우리는 죄에 대해 죽음으로써 예수님을 통한 새로운 생명을 얻을 수 있어요.

예수님은 죄인들처럼 세례를 받으셨어요. 세례는 예수님이 죽으시고 다시 살아나신 것을 기억하게 해 주어요. 예수님을 알고 사랑하는 사람들도 세례를 받음으로써 예수님과 함께 새로운 삶을 얻게 된 것을 나타내게 되지요.

복음 초청

성경과 85쪽 복음 초청 가이드를 이용해서 아이들에게 그리스도인이 되는 법을 설명해 준다. 따로 상담해 줄 사람을 정해 주고 궁금한 점이 있으면 물어보도록 격려한다.

이 시간 예수님을 마음에 모시고 싶은 친구는 함께 기도해요.

기도

하나님, 하나님의 선하심을 찬양합니다. 우리를 구원하기 위해 예수님을 보내 주신 하나님의 은혜와 사랑에 감사드립니다. 하나님, 예수님을 믿는다고 하면서도 여전히 죄에 물든 우리의 모습을 봅니다. 우리의 죄를 용서해 주세요. 앞으로 하나님을 더욱 사랑하고, 말씀대로 살아갈 수 있도록 우리와 함께해 주세요. 예수님의 이름으로 기도합니다. 아멘.

적용

TIP 설교 도입이나 적용으로 활용하거나 영상을 본 뒤 소그룹으로 나누어 풍성한 대화를 이어 갈 수 있습니다.

여러분이 알아야 할 매우 중요한 사실이 있어요. 세례가 우리를 죄와 죽음으로부터 구원하거나 우리에게 영원한 생명을 주는 것이 아니에요. 세례는 우리가 그리스도 안에 있다는 것을 세상에 알리는 표시예요. 오늘의 영상을 보는 동안 세례에 대해 생각해 보세요.

DVD 적용 예화 영상(지도자용 팩)을 보여 준다.

영상에 나오는 아이가 조종사 복장을 갖추고 있었음에도 비행기를 조종할 수 없었던 이유에 관해 함께 이야기를 나누어 본다.

조종사는 조종사로서의 역할을 수행하기 위해 특별한 장비를 착용해요. 장비는 아직 조종사가 되지 않은 사람들을 돕는 것이 아니에요. 장비는 이미 조종사가 된 사람들의 것이지요. 마찬가지로 우리는 우리가 그리스도인이라는 것을 보여 주기 위해 세례에 참여하지만, 세례에 참여하는 것이 우리를 그리스도인으로 만들어 주는 것은 아니에요. 예수님을 믿으면 이미 그리스도인이기 때문이지요. 예수님은 세례받으심으로 하나님께 순종하셨어요. 우리도 세례를 받으심으로써 하나님께 순종해야 해요. 세례는 우리가 우리를 죄로부터 구원하실 예수님을 믿는다는 사실을 나타내는 거예요.

가스펠 소그룹

10~20분

나침반

무슨 말씀이었을까요?

[준비물] 1단원 암송(110쪽), 물고기 모양으로 자른 종이, 클립, 자석, 끈

① 종이를 물고기 모양으로 여러 장 자른 뒤, 1단원 암송 구절을 어절 단위로 나누어 각각 적어 둔다.

② 물고기의 입 부분에 클립을 끼우고, 긴 끈을 준비해 끈의 끝에 자석을 묶는다.

③ 준비한 물고기를 바닥에 흩어 놓고, 아이들에게 한 명씩 나와 암송 구절 순서대로 물고기를 잡아 보라고 한다.

④ 순서가 맞지 않은 물고기를 잡으면, 잡은 물고기를 다시 바닥이나 책상 위에 버려야 한다고 말해 준다.

⑤ 물고기를 순서대로 모두 잡으면 암송 구절을 함께 큰소리로 읽는다.

— 요한복음 3장 16절 말씀을 보면 하나님이 우리에게 하나뿐인 아들을 보내 주셨다고 말해요. 예수님은 우리 죄를 대신해 십자가에서 죽으시고 3일 만에 다시 살아나셨어요. 그리고 그를 믿는 자에게 영생이라는 선물을 주셨어요.

보물 지도

세례를 받으신 예수님

[준비물] 학생용 교재 30쪽, 연필이나 색연필

그때에 예수께서

갈릴리 나사렛 / 가버나움 으로부터 와서

요단강 / 한강 에서 요한에게 세례 / 세수 를 받으시고

곧 물에서 올라오실새 하늘이 갈라짐과 성령 / 빛 이

비둘기 / 사자 같이 자기에게 내려오심을 보시더니

땅 / 하늘 로부터 소리가 나기를

너는 내 사랑 / 소망 하는 자식 / 아들 이라

내가 너를 슬퍼 / 기뻐 하노라 하시니라

마가복음 1장 9~11절

① 예수님이 세례를 받으시는 장면을 상상해 보라고 한다.

② 알맞은 단어를 골라 마가복음 1장 9~11절 말씀을 완성하게 한다.

— 모두 잘했어요! 예수님이 세례를 받으실 때 하늘로부터 소리가 났어요. 하나님이 사랑하는 내 아들이라 말씀하셨지요. 예수님은 하나님의 하나뿐인 아들이세요. 우리는 예수님이 여러 면에서 우리와 비슷하지만, 또한 매우 다르다는 사실을 알아요. **예수님은 어떤 점에서 특별한가요? 예수님은 완전한 하나님이시며, 완전한 인간이세요. 예수님은** 죄가 없으셨지만, 하나님께 순종해 **죄인들처럼 세례를 받으셨어요.** 세례는 예수님이 우리를 죄에서 구원하기 위해 십자가에서 죽으시고 3일 만에 다시 살아나신 것을 보여 주어요.

탐험하기

세례란 무엇인가요?

[준비물] 학생용 교재 31쪽, 연필이나 색연필

① 아이들에게 세례가 무엇인지 물어본다.

② 미로를 통과하며 세례에 대해 알아보게 한다.

③ 세례에 대해 더 알고 싶다면 아래 성경 구절을 찾아 읽어 보게 한다.

* 사도행전 2장 38절, 로마서 6장 3~5절, 갈라디아서 3장 27절, 골로새서 2장 11~12절, 고린도전서 12장 13절, 디도서 3장 5절, 에베소서 1장 13~14절

— **예수님은 죄인들처럼 세례를 받으셨어요.** 죄가 없으신 예수님은 왜 세례를 받으셨을까요? 예수님은 하나님께 순종해 세례를 받음으로 예수님이 하나님의 아들이시고 우리가 예수님을 따라야 한다는 것을 보여 주셨어요.

궁금한 것을 물어보아요 *

[준비물] 종이, 연필이나 색연필

① 아이들에게 목사님이나 전도사님을 찾아가 세례에 관해 궁금한 점을 물어보라고 한다.

예) · 세례받을 준비가 되었는지를 어떻게 알 수 있나요?

· 어디에서 세례를 받나요?

· 우리 교회에서는 누가 세례를 주나요?

② 질문을 하고, 들은 내용을 종이에 적어 오라고 한다.

③ 적어 온 내용에 대해 함께 이야기 나눈다.

TIP 교회에 세례식이 있는 경우 세례식을 함께 참관하는 것도 좋다.

— 우리 교회에서 세례가 어떻게 이루어지는지에 관한 정말 좋은 정보였어요! 우리는 세례를 통해 우리가 예수님에 의해 변화되었다는 것을 사람들에게 보여 줄 수 있어요. **예수님**은 죄가 없으셨지만 **죄인들처럼 세례를 받으셨어요.** 우리가 따라야 할 모범을 보여 주셨지요. 예수님을 믿는 우리도 세례를 받음으로써 하나님께 순종할 수 있어요.

예수님의 세례 *

[준비물] 도화지(흰색, 파란색 각각 아이 수만큼)**, 가위, 풀, 색연필**

① 엄지를 뺀 나머지 손가락을 벌리지 않고, 흰색 도화지에 손을 그리라고 한다.

② 손 모양대로 자른 후, 엄지손가락 부분에 동그란 점을 그리며 눈을 완성하게 한다.

③ 노란색 색연필로 눈 앞에 부리를 그려 보라고 한다.

④ 지금 그린 것이 비둘기라는 것을 말해 주고, 파란색 도화지에 붙이라고 한다.

⑤ 예수님이 세례를 받았을 때 어떤 일이 있었는지 파란색 도화지에 그림을 그려 보라고 한다.

— 성경은 예수님이 세례를 받으시고, 성령이 비둘기 같이 임했다고 말해요. **예수님은 죄인들처럼 세례를 받으셨어요.** 우리도 세례를 받음으로 하나님께 순종할 수 있어요! 우리는 세례를 통해 예수님이 죽으시고 다시 살아나심으로 우리를 죄에서 구원하시는 것을 세상에 보여 줄 수 있어요. 여러분이 만든 작품으로 세례와 예수님이 우리를 위해 하신 일을 친구들에게 전해 보세요.

보물 상자

나만의 기록장

[준비물] 학생용 교재 32쪽, 연필이나 색연필

① 성경은 누구든지 예수님과 함께하기 위해 세례를 받는 자는 예수님으로 옷을 입었다고 말해 준다(갈 3:27 참조).

② 아이들에게 만약 세례를 받는다면 예수님으로 입은 옷은 어떤 옷일지 상상하며 그려 보게 한다.

③ 각자 그린 그림을 서로 보여 주며 이야기를 나눈다.

— 세례는 예수님을 믿는 사람에게 매우 기쁘고 중요한 일이라는 점을 기억하세요. 세례가 우리를 구원하는 것은 아니에요. 하지만 하나님은 세례를 통해 우리가 예수님을 믿고 그분을 위해 사는 모습을 세상에 보이고 싶어 하세요. 예수님을 사랑하고 믿는다는 것을 세상에 보여 주기 위해 언제 세례를 받을지 부모님과 함께 이야기를 나누어 보세요.

메시지 카드

이번 주 메시지 카드로 부모님과 함께 오늘 배운 성경 이야기를 나누어 보라고 한다.

기도

하나님, 우리를 죄에서 구원하시고 새로운 피조물이라고 말씀하신 하나님을 찬양합니다. 언제나 하나님께 순종한 예수님과 같이 우리도 하나님 말씀에 순종하며 살 수 있도록 인도해 주세요. 죄인을 구원하기 위해 이 땅에 오신 예수님에 관한 기쁜 소식을 사람들에게 전하는 우리가 되게 해 주세요. 예수님의 이름으로 기도합니다. 아멘.

6

예수님이 시험을 이기셨어요

마 4:1~11

단원 암송

하나님이 세상을 이처럼 사랑하사 독생자를
주셨으니 이는 그를 믿는 자마다 멸망하지
않고 영생을 얻게 하려 하심이라(요 3:16).

성경의 초점

예수님은 어떤 점에서 특별한가요?
예수님은 완전한 하나님이시며,
완전한 인간이세요.

본문 속으로

세례를 받으신 후, 예수님은 성령에 이끌려 광야로 가셨습니다. 예수님은 40일 동안 금식해 굶주리셨습니다. 거짓의 영이며 시험하는 자인 마귀(Devil)가 예수님 앞에 나아와 말했습니다. "네가 만일 하나님의 아들이어든 명하여 이 돌들로 떡덩이가 되게 하라"(마 4:3).

마귀는 예수님이 누구이신지 알고 있었습니다. 그러면서도 예수님께 하나님의 아들임을 증명하라고 요구했습니다. 그는 창세기 3장에서 시작된 구속의 계획을 망치려고 했습니다. 사탄(Satan)은 에덴동산에서 하와에게 순진하게 들리는 질문을 던져 의심을 일으켰습니다. "하나님이 참으로 너희에게 동산 모든 나무의 열매를 먹지 말라 하시더냐"(창 3:1). 아담과 하와는 하나님이 금지하신 나무의 열매를 먹었고, 이로 인해 죄가 세상에 들어오게 되었습니다.

예수님은 죄의 저주를 끊기 위해 이 세상에 오셔서 아담이 실패한 일을 이루셨습니다. 오늘 성경 이야기에 나오는 마귀의 목적은 에덴동산에서 했던 것과 비슷한 속임수를 사용해 예수님을 죄에 이르게 하는 것이었습니다. 예수님이 죄 없는 구원자 역할을 담당하지 못하도록 말입니다.

마귀는 예수님의 약함을 이용했습니다. 그는 예수님께 돌을 떡으로 만들라고 유혹했습니다. 성전에서 뛰어내리라고도 말했습니다. 자신에게 엎드려 경배하면 십자가를 지지 않고도 사명을 완수할 수 있다고도 했습니다. 예수님이 대답하셨습니다. "사탄아, 물러가라!"

히브리서의 저자는 예수님은 대제사장이며, 우리의 연약함을 동정하지 못하실 이가 아니요, 모든 일에 우리와 똑같이 시험을 받으신 이라고 말합니다(히 4:15 참조). 예수님은 믿는 자들의 표본이십니다. 그런데 우리가 어떻게 시험에 굴복하겠습니까?

티칭 포인트

우리는 시험을 당할 때 담대하게 하나님의 보좌로 나아가 하나님의 도움을 얻을 수 있으며, 우리의 죄에 대해 하나님의 자비와 용서를 구할 수 있다는 것을 아이들에게 강조하십시오(히 4:14~16 참조). 우리에게는 희망이 있습니다. 예수님이 죄인인 우리를 위해 죽으시고 다시 살아나셨기 때문입니다.

주 제

예수님이 광야에서 시험받으셨어요.

가스펠 링크

예수님은 시험받으셨지만, 하나님을 신뢰하며 결코 죄를 짓지 않으셨어요.

예수님이 시험을 이기셨어요 마 4:1~11

예수님은 세례를 받으신 후에 성령님에 이끌리어 광야로 가셨어요. 예수님은 40일 밤낮을 금식하셨어요. 예수님은 기도하며 예수님을 향한 하나님의 계획에 관해 생각하셨어요. 40일 동안 아무것도 드시지 못한 예수님은 배가 고팠어요. 그때 마귀가 예수님께 다가왔어요. 마귀는 사람들이 죄를 짓도록 유혹하고 시험하는 자예요. 그가 말했어요. "네가 하나님의 아들이라면 이 돌이 떡이 되게 해 보아라."

만약 예수님이 능력을 사용해서 돌을 떡으로 만들어 먹었다면 더는 배고프지 않으셨겠지요. 하지만 예수님은 그렇게 하지 않으셨어요. 능력을 사용하는 대신 필요를 채워 주시는 하나님을 신뢰하셨어요. 예수님이 마귀에게 말씀하셨어요. "성경에 '사람이 떡으로만 사는 것이 아니라 하나님의 입에서 나오는 모든 말씀으로 살 것이다'라고 기록됐다."

마귀는 다시 예수님을 시험했어요. 그는 예수님을 거룩한 성전이라고 불리는 예루살렘으로 데려가 성전 꼭대기에 세우고 말했어요. "네가 정말 하나님의 아들이라면 뛰어내려 보아라. 성경에 하나님이 천사들을 보내 너의 발이 돌에 부딪히지 않게 보호하실 것이라고 기록되지 않았느냐?" 마귀는 성경에 있는 말씀을 사용했어요. 그러나 예수님은 마귀의 명령이 어리석은 명령이라는 것을 아셨어요. 예수님이 다시 말씀하셨어요. "또 성경에 기록되기를 '주 너의 하나님을 시험하지 말라'라고 하였다."

이번에 마귀는 예수님을 아주 높은 산으로 데려갔어요. 그는 예수님께 세상 모든 나라와 그 영광을 보여 주었어요. "네가 만약 내게 엎드려 경배하면 이 모든 것을 너에게 주겠다." 예수님은 이번에도 마귀의 유혹에 넘어가지 않으셨어요. 예수님이 말씀하셨어요. "사탄아, 물러가라! 성경에 기록되기를 '주 너의 하나님께 경배하고 오직 그분만을 섬기라'라고 하였다." 그러자 마귀가 예수님을 떠나고 천사들이 와서 예수님을 섬겼어요.

예수님은 마귀의 시험을 받는 동안 결코 죄를 짓지 않으셨어요. 그리고 이제 사역을 시작하셨지요. 예수님이 사람들에게 말씀하셨어요. "회개하라. 천국이 가까이 왔다!" 예수님은 갈릴리 바닷가에서 어부들을 부르셨어요. 베드로, 안드레, 야고보, 요한이 그물을 버리고 예수님을 따랐어요.

●● 가스펠 링크

예수님은 시험받으셨지만, 하나님을 신뢰하며 결코 죄를 짓지 않으셨어요. 완전한 희생 제물이신 죄 없는 예수님은 십자가에서 죽으심으로 우리를 죄에서 구원하고 시험에 맞서 싸울 힘을 우리에게 주셨어요.

가스펠 준비

10~20분

*는 선택 활동입니다.

환영

도착하는 아이들을 반갑게 맞이하고 헌금, 출석, QT 등을 확인하며 격려한다. 새 친구가 있다면 소개한다. 편안한 분위기에서 안부를 물으며 오늘의 말씀과 관련된 화제로 이야기를 나눈다. '유혹'이라는 단어의 뜻에 대해 설명해 준다. 아이들에게 하지 말아야 할 일을 하고 싶었던 적이 있는지 물어본다. 그 유혹을 이겼는지 혹은 유혹에 넘어갔는지 이야기를 나누어 본다. 자발적으로 대화에 참여하도록 이끈다.

예) "하지 말아야 할 일을 하고 싶었던 적이 있나요?", "그런 생각이 들 때 어떻게 했나요?" 등.

— 유혹이란 정신을 혼미하게 하거나 좋지 않은 길로 이끈다라는 뜻이에요. 우리 주변에는 많은 유혹이 있어요. 어떤 때는 유혹을 뿌리치고 하나님께 순종하지만, 어떤 때는 유혹에 넘어가 죄를 짓게 되어요. 결코 죄를 짓지 않은 사람이 있을까요? 오늘 성경 이야기를 기대해 보세요.

마음 열기

보물찾기 *

[준비물] 보물(학용품, 사탕, 장난감 등 여러 가지 물건)**, 포스트잇, 사인펜, 스톱워치**

① 포스트잇에 마태복음 4장 4절 말씀을 써서 물건들 위에 붙여 둔다.

② 아이들에게 지금부터 보물찾기를 한다고 말하고, 3분 동안 눈을 감고 있으라고 한다.

③ 3분 동안 예배실 곳곳에 물건을 숨긴다.

④ 물건을 다 숨긴 후, 아이들에게 보물을 찾으라고 한다.

⑤ 놀이가 끝난 후, 인도자가 물건을 숨기는 동안 살짝 보고 싶은 마음이 들었는지 물어본다.

— 보물을 빨리 찾기 위해 숨기는 모습을 엿보고 싶은 유혹을 느꼈을 수 있어요. 우리는 다양한 상황에서 많은 유혹을 받아요. 그 유혹들을 어떻게 이겨 낼 수 있을까요? 오늘 우리는 성경 이야기를 통해 예수님이 어떻게 유혹에 맞서 싸우셨는지 배울 거예요.

솔직하게 대답해요 *

[준비물] 종이, 사인펜

① 종이에 아이들이 유혹받을 만한 상황들을 적어 둔다.

- 시험공부를 하지 않았는데, 친구의 답을 몰래 볼 수 있어요. 친구의 답을 봐도 될까요? 보지 말아야 할까요?
- 어머니가 과자 2개를 주면서 하나는 동생(형, 언니)에게 주라고 하셨어요. 나 혼자 다 먹을까요? 동생에게 나누어 줄까요?
- 길을 가다가 돈이 든 지갑을 주웠어요. 경찰서에 가져갈까요? 그냥 쓸까요?
- 교회에 가야 하는데 텔레비전에서 재밌는 방송이 나와요. 텔레비전을 볼까요? 교회에 갈까요?
- 부모님이 컴퓨터 게임을 1시간만 하라고 하셨는데, 집에 아무도 없어요. 게임을 더 오래 할까요? 1시간만 할까요?

② 인도자가 질문하면, 아이들에게 손으로 ○와 ×를 만들어 답을 하라고 한다.

③ 어떤 유혹이 가장 견디기 어려운지, 그 유혹을 어떻게 이겨 낼지 함께 이야기해 본다.

— 때로는 어떤 행동이 잘못되었다는 것을 알면서도 하고 싶을 때가 있어요. 그럴 때 우리는 유혹에 맞서 싸워야 해요. 오늘의 성경 이야기는 예수님이 어떻게 유혹에 맞서 싸웠는지 보여 주어요.

교사를 위한 기록장 이 과를 준비하면서 깨닫게 된 묵상을 정리해 보세요.

· 하나님이나 나에 대해 새롭게 알게 된 것은?

· 기억하고 싶은 하나님의 약속은?

· 아이들에게 전하고 싶은 메시지는?

가스펠 설교

15~30분

들어가기

[준비물] 어르신 복장(카디건, 회색 가발, 두꺼운 안경), **의자**

어르신 복장을 하고 들어와 무대 중앙에 놓인 의자에 앉는다.

여러분, 잘 지냈나요? 나이가 들면 찾아오는 손님이 많지 않아요. 그래서 여러분을 다시 만나니 너무 좋아요.

어제는 여동생과 통화를 했는데, 이제 곧 자기 손자의 생일이라고 하네요. 그런데 그 녀석이 생일 선물이 뭔지 궁금해서 자꾸 할머니 방에 들어가 몰래 보려고 한다는 거예요!

저도 어렸을 때 생일 선물이 궁금해서 몰래 꺼내 봤던 적이 있었어요. 그런데 그만 부모님께 딱 걸려서 부모님이 그 선물을 모두 환불하셨지 뭐예요. 막상 생일 선물을 받았을 때는 제가 봤던 선물이 하나도 없었어요. 얼마나 실망했던지, 그 뒤로는 절대 선물을 미리 보지 않았답니다!

여러분은 어떤가요? 저처럼 선물이 어디에 있는지 알고 미리 열어 본 적 있나요? 사실 그 유혹은 참기 어려워요. 그렇지 않나요? 감사하게도 성경은 유혹을 어떻게 이길 수 있는지 방법을 알려 주어요. 한번 들어 볼래요? 아이들의 대답을 기다린다. 좋아요!

연대표

예수님이
세례를 받으셨어요

예수님이
시험을 이기셨어요

니고데모가
예수님을 찾아왔어요

세례 요한이 예수님에
관해 말했어요

예수님이 세례를 받으신 후, 성령님에 이끌리어 광야로 가셨어요(마 4:1 참조). 그곳에서 예수님은 40일을 밤낮으로 금식하셨지요. 그 후에 어떤 일이 일어났을까요? 아이들의 대답을 기다린다. 이번 주 성경 이야기의 제목은 "예수님이 시험을 이기셨어요"예요. 성경 이야기를 통해 자세히 알아보도록 해요.

성경의 초점

지금까지 우리는 예수님이 우리와 다른 점에 관해 배웠어요. '성경의 초점'의 질문과 답을 기억하나요? 아이들의 대답을 기다린다. 맞아요. **예수님은 어떤 점에서 특별한가요? 예수님은 완전한 하나님이시며, 완전한 인간이세요.** 예수님은 완전한 하나님이셨기 때문에 죄에 대한 유혹을 느끼지 않으셨을 것이라 생각할 수 있어요. 그러나 예수님은 완전한 사람이기도 하셨다는 점을 기억하세요. 예수님도 우리처럼 유혹을 받으셨어요.

성경 이야기

DVD 마태복음 4장 1~11절을 펴고, 설교 영상(지도자용 팩)을 보여 주거나 이야기 성경을 들려준다. 인도자가 성경 이야기 중에서 예수님의 말씀을 이야기할 때는 한쪽으로 몸을 돌려 이야기한다. 그리고 마귀가 하는 말을 할 때는 반대로 몸을 돌려 마치 예수님을 쳐다보고 말하는 것처럼 한다. 또한 마귀가 예수님을 유혹하는 장면 뒤에는 잠시 멈추어 아이들에게 "여러분은 예수님이 이 유혹에 질 거라고 생각하세요?"라고 물어본다.

예수님이 광야에서 시험받으셨어요. 저는 밥을 한 끼라도 먹지 못하면 예민해지는데, 예수님은 40일 동안이나 아무것도 드시지 않고 기도하셨다고 해요. 마귀가 나타나 돌을 떡으로 바꿔 보라고 했을 때, 예수님은 정말로 큰 유혹을 느끼셨을 거예요. 우리가 배웠던 것처럼 **예수님은 완전한 하나님이시며, 완전한 인간이세요.** 이 말은 예수님이 정말 배가 고프셨고, 그러면서도 딱딱한 돌을 부드럽고 맛있는 떡으로 바꿀 능력을 가지셨다는 거예요. 하지만 예수님은 하나님의 계획이 떡을 만들어 먹는 것이 아니라 하나님의 말씀을 먹으며 몸과 마음이 튼튼해지는 것임을 알고 계셨어요. 예수님은 유혹에 넘어가지 않으셨어요. 하나님의 말씀이 먹을 것보다 훨씬 중요하다는 사실을 마귀에게 말씀하셨어요.

이번에 마귀는 예수님을 성전 꼭대기로 데려갔어요. 그러고는 성경 말씀을 말하면서 하나님을 시험해 보라고 말했어요. 여기서 말하는 '시험'은 사람의 됨됨이를 알기 위하여 떠보는 일이나 그런 상황을 말해요. '유혹하다'라는 말과 같은 의미로 사용되지요. 마귀는 하나님의 말씀을 살짝 바꾸어서 실제로는 나쁜 것인데 겉으로는 괜찮게 보이게 말했어요. 예수님은 마귀의 속셈을 아시고는 또 다른 말씀으로 유혹에 맞서셨어요.

마귀는 마지막으로 예수님을 시험했어요. 예수님을 높은 산으로 데려가 모든 나라와 큰 권세를 보여 주었지요. 만약 그에게 경배하면 세상의 모든 권능과 재물을 주겠다고 말했어요. 그러나 예수님은 성경 말씀을 이용해 오직 하나님만이 예배받기 합당한 분이라고 말씀하셨어요. 예수님이 죄를 짓게 만들려고 했던 마귀는 실패하고 떠나갔어요. 예수님은 시험받으셨지만, 결코 죄를 짓지 않으셨어요.

가스펠 링크

오늘의 성경 이야기는 우리에게 무엇을 말해 주나요? 어쩌면 예수님이니까 당연히 죄를 짓지 않으실 것이라 생각할 수도 있어요. 하지만 **예수님은 완전한 하나님이시며, 완전한 인간이신 것**을 잊어서는 안 돼요.

우리는 하나님과 멀어지게 하려는 마귀의 유혹에 어떻게 맞서 싸울 수 있을까요? 아이들의 대답을 기다린다. 맞아요. 하지만 우리의 능력으로 할 수 있는 일이 아니에요. 비록 성경을 많이 알면 큰 도움이 되지만, 말씀을 암송하는 것만으로는 죄를 이길 수 없어요.

우리에게는 예수님이 필요해요. 오늘의 성경 이야기는 예수님이 완전하고 죄 없는 희생 제물이라는 것을 말해 주어요. 의롭고 죄가 없으신 예수님이 하나님의 뜻에 순종해 십자가에서 죽으시고 살아나셔서 우리를 죄에서 구원해 주셨어요. 예수님을 믿으면, 하나님은 우리를 용서하시고 성령님을 통해 죄를 이길 힘을 주세요. 광야에서 예수님과 함께하시면서 예수님이 유혹과 싸우도록 도우신 바로 그 성령님 말이에요. 성경은 우리가 감당할 수 있는 것 이상의 유혹을 받지 않는다고 말해요. 그리고 하나님은 항상 피할 길을 주세요(고전 10:13 참고). 이 말씀은 예수님을 믿기만 하면 아무 유혹도 받지 않는다는 뜻이 아니에요. 예수님을 의지하며 성령님이 주시는 힘으로 유혹에 맞서 싸울 수 있다는 뜻이에요!

복음 초청

성경과 85쪽 복음 초청 가이드를 이용해서 아이들에게 그리스도인이 되는 법을 설명해 준다. 따로 상담해 줄 사람을 정해 주고 궁금한 점이 있으면 물어보도록 격려한다.

이 시간 예수님을 마음에 모시고 싶은 친구는 함께 기도해요.

기도

하나님, 우리를 보호하시고 사랑하시는 하나님을 찬양합니다. 우리에게 하나님의 말씀을 주시고, 마귀의 유혹에 맞서 싸울 힘을 주셔서 감사합니다. 하나님의 말씀을 가까이하며, 말씀을 깨달을 수 있도록 지혜를 주세요. 그래서 어떠한 유혹이 와도 말씀으로 승리하며 하나님을 찬양하도록 인도해 주세요. 예수님의 이름으로 기도합니다. 아멘.

적용

여러분은 언제 가장 많은 유혹을 받나요? 오늘의 영상을 보는 동안 이 질문에 대해 생각해 보세요.

DVD 적용 예화 영상(지도자용 팩)을 보여 준다. 아이들에게 벤저민이 쿠키를 먹었다면 어떤 일이 일어났을지 물어본다. 만약 쿠키를 먹지 않기로 선택했다면 어땠을지, 어떤 경우가 자신보다 엄마를 생각하는 일이었을지 물어본다.

예수님은 시험받으셨지만, 하나님을 신뢰하며 결코 죄를 짓지 않으셨어요. 예수님은 유혹과 싸우기 위해 성령님과 말씀의 능력을 의지하셨어요. 하나님의 말씀을 사용하는 것은 유혹과 싸우는 중요한 힘이에요. 그러나 예수님을 제외한 그 누구도 하나님께 완전하게 순종할 수 없다는 것을 기억하세요. 예수님이 우리의 죄를 위해 죽으시고 3일 만에 다시 부활하신 이유예요. 예수님을 믿으면 성령님은 그 믿음을 통해 우리에게 유혹을 이길 힘을 주세요.

가스펠 소그룹

10~20분

나침반

말씀 막대기

[준비물] 1단원 암송(110쪽), 아이스크림 막대기 또는 나무젓가락, 컵, 접착테이프, 사인펜

① 1단원 암송 구절을 어절 단위로 나누어 아이스크림 막대기에 적은 후, 컵 안에 넣어 둔다.

② 아이들에게 1단원 암송 구절을 외워 보라고 한다.

③ 암송하다 생각이 나지 않으면, 컵에서 말씀 막대기를 꺼내 볼 수 있다고 말해 준다.

④ 1단원 암송 구절을 막대의 도움 없이 암송할 때까지 반복한다.

— 예수님은 우리를 죄에서 구원하기 위해 죽으셨어요. 우리는 모두 죄인이에요. 우리가 예수님을 믿으면, 하나님은 우리를 용서하시고 예수님과 같은 의인으로 여기세요.

보물 지도

마귀의 3가지 시험

[준비물] 학생용 교재 36쪽, 연필이나 색연필, 성경

① 아이들에게 마귀의 시험에 예수님은 무엇이라고 대답하셨는지 물어본다.

② 마귀의 시험과 그에 대한 예수님의 대답을 선으로 연결하고, 성경을 찾아 빈칸을 완성해 보라고 한다.

— 오늘 성경 구절들은 광야에서 시험받으신 예수님의 이야기에 나오는 구절들이에요. **예수님이 광야에서 시험받으셨어요.** 마귀는 하나님의 말씀을 잘못 사용해 우리를 속이려고 해요. 죄의 유혹을 물리치기 위해서는 예수님을 믿으며 하나님의 도움을 구해야 해요. 하나님이 성령님을 통해 하나님의 말씀을 잘 이해하고 깨달을 수 있게 도와주실 거예요.

탐험하기

시험을 이기는 무기

[준비물] 학생용 교재 37쪽, 연필이나 색연필

① 예수님은 시험받으셨지만, 결코 죄를 짓지 않으셨다는 것을 말해 준다.

② 숨은 단어를 찾아 아래 질문의 답을 완성해 보라고 한다.

— 성경 말씀을 검으로 표현한 이야기를 들은 적 있나요? 하나님의 말씀은 날선 검보다 예리하여 어떤 유혹에도 맞서 싸우기 좋은 무기예요(히 4:12 참조).

오늘 성경 이야기에서 예수님은 어떻게 유혹과 싸우셨나요?

아이들의 대답을 기다린다. 맞아요! 하나님의 말씀으로 예수님이 마귀의 시험을 이기셨어요. 우리도 하나님의 말씀을 마음에 새기고, 많은 유혹을 말씀으로 승리하길 바라요.

눈을 감고 잡아라 *

[준비물] 눈가리개

① 술래를 한 명 정하고, 눈가리개를 하게 한다.

② 술래잡기를 하는 동안, 술래에게 잡힌 아이는 그 자리에서 얼음이 되어 가만히 있어야 한다고 말해 준다.

③ 얼음이 된 아이를 술래가 실수로 만지면, 다시 살아나 놀이에 참여할 수 있다고 말해 준다.

④ 정해진 시간 안에서 술래를 바꾸어 가며 놀이를 진행한다.

— 혹시 술래가 되었을 때, 눈가리개 사이로 보면서 아이들을 잡고 싶은 생각이 들지 않았나요. 우리는 무엇인가를 숨길 수 있다고 생각할 때 죄의 유혹을 받아요. 아무도 모를 것이라 생각하면 좀 더 쉽게 죄를 짓게 되지요. 그러한 순간을 만나게 되면 오늘의 성경 이야기를 기억하세요. 예수님은 시험받으셨지만, 하나님을 신뢰하며 결코 죄를 짓지 않으셨어요.

말씀 책갈피 *

[준비물] 성경, 도화지, 가위, 사인펜, 장식용품(색연필, 스티커 등), 펀치, 색 끈

① 도화지를 폭 3cm, 길이 12cm 크기로 인원수만큼 잘라 둔다. 색 끈도 10cm 길이로 잘라 둔다.

② 아이들에게 도화지 조각을 하나씩 나누어 주고, 성경에서 고린도전서 10장 13절을 찾아 종이 위에 쓰라고 한다.

③ 책갈피 위에 펀치로 구멍을 뚫고, 구멍에 끈을 넣어 매듭짓게 한다.

④ 아이들에게 책갈피를 예쁘게 꾸며 완성해 보라고 한다.

— 고린도전서 10장 13절은 모든 사람이 시험을 받지만 그 시험을 이겨 낼 수 있다고 말해요. 예수님이 계시기 때문에 우리에게 다가오는 유혹들을 물리칠 수 있어요. 우리를 죄에서 구원하기 위해 죽으시고 살아나신 예수님을 믿으면 하나님은 우리를 용서하시고 유혹을 이길 힘을 주세요. 유혹에 빠질 때 하나님께 도와달라고 기도하세요.

보물 상자

나만의 기록장

[준비물] 학생용 교재 38쪽, 연필이나 색연필

① 아이들에게 죄를 짓도록 유혹을 받았던 적이 있는지 물어본다. 그 경험을 그림이나 글로 표현해 보라고 한다.

② 그 상황에서 어떻게 행동했는지 이야기를 나누어 본다.

③ 유혹을 이겨 내지 못한 경우, 다음에는 어떻게 그 유혹을 이기고 싶은지 물어본다.

— 예수님처럼 우리도 죄의 유혹을 받아요. 예수님은 시험받으셨지만, 하나님을 신뢰하며 결코 죄를 짓지 않으셨어요. 하지만 우리는 때때로 유혹에 넘어져요. 그때마다 하나님의 말씀을 떠올려 보세요. 유혹의 마음이 들 때, 하나님의 말씀으로 승리하길 바라요. 혹시 유혹에 넘어가 죄를 지었다고 해도 슬퍼하지 마세요. 예수님을 믿고 회개하면 용서받을 수 있다는 사실을 꼭 기억하세요.

메시지 카드

이번 주 메시지 카드로 부모님과 함께 오늘 배운 성경 이야기를 나누어 보라고 한다.

기도

하나님, 예수님을 보내 우리를 죄에서 구원하시고 영원히 하나님과 함께하게 해 주셔서 감사합니다. 날마다 하나님의 말씀을 가까이하며 말씀을 깨달을 수 있도록 지혜를 주세요. 우리를 넘어뜨리려는 죄의 유혹을 이길 수 있도록 성령님 함께해 주세요. 예수님의 이름으로 기도합니다. 아멘.

2 단원
우리와 함께 계시는 하나님

예수님은 광야에서 마귀의 유혹을 이기고 이 땅에서의 사역을 시작하셨습니다. 예수님은 유대 지방을 여행하면서 사람들을 만나시고 그들의 삶을 변화시키셨습니다. 예수님은 인간의 모습으로 오셔서 사람들과 함께하는 하나님의 아들이심을 나타내시고, 오직 자신을 통해서만 구원받을 수 있다는 것을 보여 주셨습니다.

니고데모가 예수님을 찾아왔어요

세례 요한이 예수님에 관해 말했어요

예수님이 사마리아 여인을 만나셨어요

The Gospel Project

예수님이
고향에서
거절당하셨어요

예수님이
삭개오를
만나셨어요

카운트다운 – 차곡차곡 블럭

카운트다운 영상(지도자용 팩)을 틀고 예배 준비 자세를 취하도록 격려한다. 예배가 시작되는 시간에 영상이 끝나도록 맞추어 놓는다. 영상이 끝나기 30초 전에 예배 인도자는 정해진 위치에 서서 조용히 기도하는 모범을 보인다.

무대 배경 – 거리 축제

거리 축제처럼 장식한다. 텐트 또는 부스를 설치하고 깃발을 걸어 놓거나 천장에 부스를 알리는 현수막을 세운다. 예배실 곳곳에 헬륨 풍선을 배치한다. 보드 게임판이나 물건을 파는 가판대를 만든다. 화면에 '거리 축제' 배경 이미지(지도자용 팩)를 띄운다.

7

니고데모가 예수님을 찾아왔어요

요 3:1~21

단원 암송

예수께서 이르시되
내가 곧 길이요 진리요 생명이니
나로 말미암지 않고는 아버지께로 올 자가
없느니라(요 14:6).

성경의 초점

예수님은 자신이 누구라고 하셨나요?
예수님은 자신이 메시아라고 말씀하셨어요.

본문 속으로

예수님의 사역이 시작되었습니다. 예수님의 첫 번째 기적은 혼인잔치에서 물을 포도주로 바꾼 사건이었습니다. 예수님은 예루살렘 성전을 깨끗하게 하셨습니다. 예수님이 표적을 행하시니 많은 사람이 예수님의 이름을 믿었습니다(요 2:23 참조). 예수님은 아마도 가르치는 일에 대부분의 시간을 사용하셨을 가능성이 높습니다. 하루를 마치고 나면 그분은 혼자서 혹은 제자들과 함께 시간을 보내셨습니다. 그러던 어느 날 밤 니고데모라는 사람이 예수님을 찾아왔습니다.

니고데모는 바리새인이었으며, 하나님의 율법을 가르치는 유대인의 종교 지도자였습니다. 또 유대인의 통치 기구인 산헤드린 공의회의 일원이기도 했습니다. 그는 표면상 도덕적인 사람들이 모인 그룹의 일원이었던 것입니다. 그는 율법을 준수하는 유대인이라면 하나님께 받아들여질 것이라고 믿었습니다. 그러나 예수님은 니고데모의 신앙 체계를 완전히 뒤엎을 만한 교훈을 주셨습니다.

종교 지도자들은 목수였던 예수님이 신학에 문외한일 것이라고 여겼습니다(막 6:3 참조). 그러나 그들은 예루살렘에서 예수님의 놀라운 표적을 보게 되었습니다. 결국 니고데모는 결론을 내렸습니다. "당신은 하나님께로부터 오신 선생인 줄 아나이다"(요 3:2).

대화를 시작한 것은 니고데모였지만, 대화의 주제를 고른 이는 예수님이셨습니다. 예수님을 만난 니고데모는 당혹스러웠습니다. "사람이 거듭나지 아니하면 하나님의 나라를 볼 수 없느니라"(요 3:3)라는 예수님의 말씀은 니고데모를 참으로 당황하게 만들었습니다. 예수님은 사람의 영적인 탄생은 육적인 탄생과 마찬가지로 사람이 스스로 할 수 있는 것이 아니라고 설명하셨습니다.

예수님은 불순종한 이스라엘과 놋뱀에 관한 구약의 이야기를 니고데모에게 상기시키셨습니다. 이스라엘 사람들은 스스로 도울 수 없었지만, 하나님을 의지해 장대에 매달린 놋뱀을 보았을 때 치유함을 얻었습니다(민 21:4~9 참조).

주 제

예수님은 니고데모에게 그가 다시 태어나야 한다고 말씀하셨어요.

가스펠 링크

영원한 생명은 하나님만이 주실 수 있는 선물이에요. 하나님은 세상을 사랑하셔서 독생자를 주셨어요. 그를 믿는 자는 멸망하지 않고 영원한 생명을 얻을 수 있어요.

●● 티칭 포인트

모든 사람은 죄인으로 태어났으며, 영적으로 죽어서 하나님에게서 멀어졌다는 사실을 아이들에게 강조하십시오. 우리가 구원받는 것은 우리의 노력 때문이 아니라 하나님의 영으로 말미암는 것입니다. 우리는 오직 예수 그리스도와 완성하신 십자가를 바라볼 때 구원을 얻을 수 있습니다.

니고데모가 예수님을 찾아왔어요 요 3:1~21

예수님은 유월절 만찬을 위해 예루살렘으로 가셨어요. 어느 날 밤 유대인의 지도자 한 사람이 예수님을 만나러 왔어요. 그의 이름은 니고데모였어요. 바리새인인 니고데모는 하나님의 율법을 공부하고 가르쳤으며, 율법을 지키려고 열심히 노력하는 사람이었어요. 그는 예수님에 대해 더 알고 싶었어요.

예수님을 찾아온 니고데모가 말했어요. "랍비여, 우리는 선생님이 하나님으로부터 오신 분임을 압니다. 하나님께서 함께하시지 않는다면 선생님이 행하신 그런 표적들을 아무도 행할 수 없습니다."

니고데모는 제대로 알고 있었어요. 예수님은 니고데모에게 "내가 진실로 진실로 너에게 말한다. 누구든지 다시 태어나지 않으면 하나님 나라를 볼 수 없다"라고 말씀하셨어요.

니고데모는 혼란스러웠어요. 그는 하나님의 율법을 모두 지키면 천국에 갈 수 있다고 생각했거든요. 예수님의 말씀이 전혀 이해되지 않았어요! 그는 "나이가 들어 늙은 사람이 어떻게 다시 태어나겠습니까?"라고 예수님께 물었어요.

예수님이 말씀하셨어요. "내가 진실로 진실로 네게 말한다. 누구든지 물과 성령으로 태어나지 않으면 하나님 나라에 들어갈 수 없다. 육체에서 난 것은 육체이고 성령으로 난 것은 영이다." 아기는 태어날 때 부모님에게서 육체적인 생명을 받아요. 이 육체적인 삶은 영원하지 않아요. 그러나 성령님은 사람들이 하나님과 영원히 함께 살 수 있도록 영적인 삶을 주세요.

예수님은 니고데모에게 "다시 태어나야 한다고 말한 것을 이상하게 여기지 말아라"라고 말씀하셨어요. 하지만 니고데모는 여전히 이해하지 못했어요. "어떻게 이런 일이 있을 수 있습니까?"

예수님이 말씀하셨어요. "내가 진실로 진실로 네게 말한다. 우리는 아는 것을 말하고 본 것을 증언하는데 너희는 우리 증언을 받아들이지 않고 있다. 내가 땅의 것을 말해도 너희가 믿지 않는데 하물며 하늘의 것을 말하면 어떻게 믿겠느냐? 하늘에서 내려온 사람, 곧 인자 외에는 하늘로 올라간 사람이 없다. 모세가 광야에서 뱀을 든 것 같이 인자도 들려야 한다. 그것은 그를 믿는 사람마다 영생을 얻게 하려는 것이다."

예수님은 니고데모에게 하나님의 계획에 관해 말씀하셨어요. "하나님께서 세상을 이처럼 사랑하셔서 독생자를 주셨으니 이는 그를 믿는 사람마다 멸망하지 않고 영생을 얻게 하시려는 것이다. 하나님께서 자신의 아들을 세상에 보내신 것은 세상을 심판하시려는 것이 아니라 그 아들을 통해 세상을 구원하시려는 것이다. 아들을 믿는 사람은 심판을 받지 않는다. 그러나 믿지 않는 사람은 이미 심판을 받았다. 하나님의 독생자의 이름을 믿지 않았기 때문이다."

●● 가스펠 링크

니고데모에게는 새로운 생명, 즉 영원한 생명이 필요했어요. 그러나 어떤 것으로도 영원한 생명을 얻을 수 없었어요. 영원한 생명은 하나님만이 주실 수 있는 선물이에요. 하나님은 세상을 사랑하셔서 독생자를 주셨어요. 그를 믿는 자는 멸망하지 않고 영원한 생명을 얻을 수 있어요.

가스펠 준비

10~20분

*는 선택 활동입니다.

환영

도착하는 아이들을 반갑게 맞이하고 헌금, 출석, QT 등을 확인하며 격려한다. 새 친구가 있다면 소개한다. 편안한 분위기에서 안부를 물으며 오늘의 말씀과 관련된 화제로 이야기를 나눈다. 아이들에게 가장 기억에 남는 선생님이 있는지 물어본다. 왜 기억에 남는지 이야기를 나눈다. 자발적으로 대화에 참여하도록 이끈다.

예) "가장 기억에 남는 선생님이 있나요?", "왜 기억에 남나요?" 등.

— 다양한 이유에서 기억에 남는 선생님이 있군요. 오늘 성경 이야기에서도 니고데모라는 사람이 중요한 선생님을 만나는 이야기가 나와요. 니고데모가 밤중에 선생님을 찾아갔는데 무엇 때문이었을까요?

마음 열기

수수께끼 *

① 아이들에게 수수께끼 문제를 낸다.

② 정답을 아는 아이는 자신의 이름을 외치며 손을 들라고 한다.

③ 인도자가 지목한 아이가 일어나서 답하게 한다.

1. 내가 여러분을 보면, 여러분도 나를 보아요. 나는 누구일까요? 거울
2. 나를 너무 자주 쓰면, 많이 젖어서 울게 될 거예요. 나는 누구일까요? 수건
3. 내가 힘이 세질수록, 여러분은 잘 보이지 않을 거예요. 불을 켜면 나는 사라져요. 나는 누구일까요? 어둠
4. 나는 종이로 되어있어요. 나를 열면 그 안에 편지가 있어요. 나는 누구일까요? 편지 봉투
5. 나는 걷거나 뛸 때 여러분의 발에 달려 있어요. 하루를 보내고 나면 나를 벗어 던지기도 하지요. 나는 누구일까요? 신발

— 알쏭달쏭 수수께끼는 혼란스럽기도 하지만 참 재미있어요. 오늘 성경 이야기에서는 예수님이 하신 말씀에 관해 배우게 될 거예요. 예수님의 말씀을 처음 들은 사람들은 혼란스러웠어요. 왜 그랬을까요?

던지고 줍고 *

[준비물] 공깃돌 10개, 공

① 공깃돌을 바닥에 흩어 둔다.

② 아이들에게 공을 위로 높이 던진 후 바닥에서 공깃돌을 하나 줍고, 공이 바닥에 2번 튕기기 전에 공을 잡아야 한다고 말해 준다.

③ 한 명씩 차례대로 공을 던지고 공깃돌 줍기를 하게 한다.

④ 이번에는 공을 던진 후 공깃돌을 2개씩 주워 보라고 한다.

⑤ 정해진 시간 안에서 한 번에 줍는 공깃돌 개수를 늘리며 놀이를 계속한다.

— 놀이를 하는 동안 공깃돌을 잘 잡기 위해 공깃돌이 할 수 있는 일은 아무것도 없었어요. 오늘 성경 이야기는 구원을 얻기 위해 우리가 할 수 있는 일은 아무것도 없다는 사실을 알려 주어요.

교사를 위한 기록장 이 과를 준비하면서 깨닫게 된 묵상을 정리해 보세요.

· 하나님이나 나에 대해 새롭게 알게 된 것은?

· 기억하고 싶은 하나님의 약속은?

· 아이들에게 전하고 싶은 메시지는?

가스펠 설교

15~30분

들어가기

[준비물] 교통안전 조끼, 안전봉

밝은 색의 교통안전 조끼를 착용하고, 안전봉을 들고 들어온다.

안녕하세요, 여러분! 여러분 모두 거리 축제에 온 것 맞나요? 그런데 이 일을 어쩌지요? 축제는 내일이 되어야 시작하거든요. 그때까지는 아무 물건도 살 수 없어요. 푸드 트럭도 오늘은 오지 않아요.

제 소개가 늦었네요. 저는 인도자 이름이에요. 이번 행사의 진행 요원이지요. 축제가 시작되기 전에 부스를 설치하는 일을 하고 있어요. 여러분이 원한다면 부스를 설치하는 동안 저와 함께 있을 수 있어요. 아니, 저와 함께하면 좋을 것 같아요. 우리 팀은 축제 기간에 사람들이 예수님에 대해 더 많이 알 수 있도록 이 부스를 운영할 거예요. 하나님에 관해 질문하는 사람들과 할 수 있는 게임도 만들 예정이지요. 이 기회를 통해 많은 사람이 하나님을 알고, 하나님께 더 가까이 가게 되면 좋겠어요. 여러분은 예수님에 관해 궁금하거나 알고 싶은 점이 있나요?

연대표

예수님이
세례를 받으셨어요

예수님이
시험을 이기셨어요

니고데모가
예수님을 찾아왔어요

세례 요한이 예수님에
관해 말했어요

우리는 예수님의 생애와 사역에 관해 배웠어요. 예수님의 조상들에 관한 이야기를 들었고, 예수님의 어린 시절도 살펴보았어요. 어른이 된 예수님은 세례 요한에게 세례를 받으신 후, 광야에서 마귀에게 시험받으셨어요. 마귀의 시험을 이기신 예수님은 이제 본격적으로 사역을 시작하셨지요. 그리고 예수님은 사람들을 가르치고 기적을 행하기 시작하셨어요. 많은 사람이 예수님에 대해 더 알고 싶어 하고, 예수님이 하시는 일을 보고 싶어 했어요.

연대표에서 오늘의 성경 이야기를 가리킨다. 오늘 우리는 예수님의 말씀을 듣기 위해 한밤중에 예수님을 찾아온 한 사람에 관해 배울 거예요. 예수님을 더 알고 싶었던 니고데모는 예수님과 이야기를 나누었어요. 오늘의 성경 이야기는 "니고데모가 예수님을 찾아왔어요"예요.

성경의 초점

예수님은 사람들이 예수님에 대해 무엇이라고 말씀하셨는지 궁금하셨어요. 어떤 사람들은 예수님이 그저 평범한 사람이었거나 훌륭한 선생님일 뿐이었다고 말했어요. 하지만 우리는 그것이 사실이 아니라는 것을 알아요. 예수님이 누구인지 예수님 자신이 분명하게 말씀하셨기 때문이에요. 이것이 2단원 '성경의 초점'의 질문이에요. **"예수님은 자신이 누구라고 하셨나요?"** 오늘의 성경 이야기를 통해 그 답을 알 수 있을 거예요!

성경 이야기

DVD 요한복음 3장 1~21절을 펴고, 설교 영상(지도자용 팩)을 보여 주거나 이야기 성경을 들려준다. 니고데모가 예수님을 찾아간 상황을 묘사한다. 예배실 조명을 어둡게 하고, LED 미니 촛불을 사용해 촛불이 밝혀진 밤 풍경을 만든다.

니고데모는 바리새인이었으며 유대인들의 종교 지도자였어요. 니고데모는 캄캄한 밤에 예수님을 찾아왔어요. 이것은 보기 드문 일이었어요. 대부분 바리새인은 예수님을 좋아하지 않았거든요. 그들은 사람들에 대한 자신의 권위를 포기하거나 자신들이 죄인임을 인정하지 않으려 했어요. 그러나 니고데모는 예수님이 하나님 나라에 관해 하신 말씀에 관심을 가지고 예수님을 찾아왔어요.

니고데모는 예수님과 이야기하면서 혼란스러워졌어요. **예**

수님은 니고데모에게 그가 다시 태어나야 한다고 말씀하셨어요. 니고데모는 당황스러웠어요. 이미 다 자라 나이가 들었는데, 도대체 어떻게 다시 태어날 수 있을까요?

예수님은 우리가 아기로 다시 태어나는 것에 관해 말씀하신 것이 아니었어요. 물과 성령으로 거듭나야 한다는 것을 말씀하신 거예요. 거듭난다는 것은 영적으로 다시 태어나는 것을 뜻해요. 예수님은 영적으로 다시 태어나지 않은 사람은 하나님과 영원히 함께할 수 없다고 설명하셨어요. 그러고는 하나님이 세상을 사랑하셔서 독생자를 보내 세상을 구원하실 것이며, 그 아들을 믿는 사람들은 구원받을 것이라고 말씀하셨어요.

니고데모와 같은 바리새인들은 하나님의 율법을 잘 지키는 것이 곧 하나님의 나라에 들어가는 길이라고 믿었어요. 이것은 예수님의 가르침과 달랐어요. 예수님은 니고데모에게 하나님이 보내신 아들을 믿고 의지하면 죄를 용서받을 것이라고 말씀하셨어요. 니고데모와 다른 바리새인들은 많은 시간을 들여 말씀을 공부하고 하나님의 율법에 순종하려고 노력했지만, 여전히 그들은 자신들을 죄에서 구원해 줄 누군가가 필요했어요. 오직 예수님만이 그를 믿는 사람들을 구원하실 수 있어요. **예수님은 자신이 누구라고 하셨나요? 예수님은 자신이 메시아라고 말씀하셨어요.** 예수님은 그를 믿는 모든 사람을 구원하기 위해 이 땅에 오신 하나님의 아들이세요.

가스펠 링크

우리는 모두 니고데모와 같아요. 우리는 죄인이고, 자신을 구원할 수 없지요. 또한 아무리 하나님의 말씀을 잘 따른다고 해도 그것만으로는 죄와 마음의 불순종을 없앨 수 없어요. 그래서 하나님은 우리에게 예수님을 보내 주셨어요. 예수님은 우리가 할 수 없는 완전한 삶을 사셨고, 우리의 죄를 대신 지고 십자가에서 죽으셨어요. 하나님은 예수님의 죽음과 부활을 통해 오직 예수님만이 죄를 해결할 수 있는 완전한 희생 제물임을 보여 주셨어요. 우리를 구원하시는 예수님을 믿을 때, 하나님은 우리를 용서하시고 우리에게 새로운 생명을 주세요.

복음 초청

DVD

성경과 85쪽 복음 초청 가이드를 이용해서 아이들에게 그리스도인이 되는 법을 설명해 준다. 따로 상담해 줄 사람을 정해 주고 궁금한 점이 있으면 물어보도록 격려한다.

이 시간 예수님을 마음에 모시고 싶은 친구는 함께 기도해요.

기도

하나님, 니고데모와 예수님의 대화를 통해 물과 성령으로 거듭나야 한다는 것을 배웠습니다. 죄 가운데 있는 것이 아니라 예수님을 믿는 믿음으로 하나님 안에서 다시 태어나기를 원합니다. 매일 하나님을 의지하고 하나님의 말씀에 순종하며 살도록 성령님 도와주세요. 나아가 복음의 기쁜 소식을 세상에 전할 수 있도록 함께해 주세요. 예수님의 이름으로 기도합니다. 아멘.

적용

TIP 설교 도입이나 적용으로 활용하거나 영상을 본 뒤 소그룹으로 나누어 풍성한 대화를 이어 갈 수 있습니다.

여러분은 이미 죽은 것이 다시 살아나는 것을 본 적이 있나요? 과연 가능한 일일까요? 영상을 보는 동안 이 질문에 관해 잘 생각해 보세요.

DVD 적용 예화 영상(지도자용 팩)을 보여 준다.

왜 죽은 식물이 다시 살아나지 않았는지 함께 이야기를 나눈다. 죄에 대해 죽는 길은 무엇인지 이야기하고, 예수님만이 우리에게 새로운 생명을 주실 수 있다는 것을 설명해 준다.

니고데모는 우리 모두와 마찬가지로 죄인이었어요. 그는 율법에 순종하면 하나님의 은혜를 얻을 수 있다고 생각했어요. 우리는 죄가 우리를 영적으로 죽게 한다는 것을 알아요. 영원한 생명은 하나님만이 주실 수 있는 선물이에요. 하나님은 세상을 사랑하셔서 독생자를 주셨어요. 예수님을 믿을 때, 우리는 하나님 안에서 영적으로 다시 태어나며 영원한 생명을 얻을 수 있어요.

가스펠 소그룹

10~20분

나침반

오직 한 길!

"예수께서 이르시되 내가 곧 길이요 진리요 생명이니 나로 말미암지 않고는 아버지께로 올 자가 없느니라"(요 14:6).

[준비물] 학생용 교재 42쪽, 79쪽, 연필이나 색연필, 가위, 풀

① 79쪽에 십자가를 오려 붙인 후 십자가 안에 있는 빈칸을 채워 요한복음 14장 6절을 완성하게 한다.

② 아이들과 완성된 문장을 여러 번 읽으며 암송할 수 있도록 돕는다.

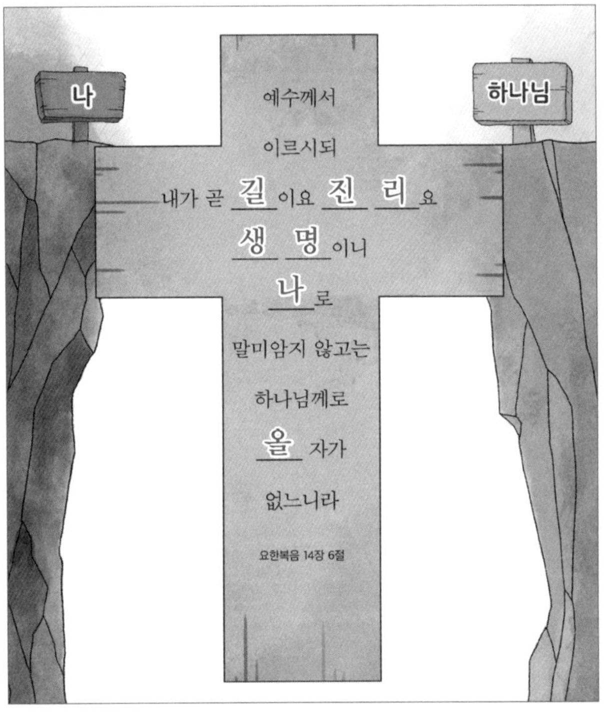

— 예수님은 그를 따르는 사람들이 예수님만이 죄에서 구원받는 유일한 길이라는 진리를 알기 원하셨어요. 니고데모도 똑같은 것을 배웠지요. 오직 예수님만 우리를 죄에서 구원하실 수 있어요. 예수님을 믿고 의지할 때, 우리는 성령님의 인도하심에 따라 하나님의 자녀로 다시 태어날 수 있어요.

보물 지도

손전등을 켜라!

[준비물] 성경, 손전등 2개

① 아이들을 2팀으로 나누고, 예배실 한쪽에 팀별로 줄을 세운다.

② 각 팀의 맨 앞에 있는 아이에게 손전등을 준다.

③ 인도자가 질문하면, 답을 아는 아이는 손전등을 켰다 끄면서 신호를 보내라고 한다.

④ 먼저 신호를 보내는 아이에게 답을 말할 기회를 준다. 틀린 답을 말하면, 상대 팀에게 기회를 준다.

⑤ 질문과 답을 하고 나면, 뒤에 있는 아이에게 손전등을 전달해 문제를 맞히게 한다.

⑥ 모든 아이에게 순서가 돌아갈 때까지 계속한다. 가장 많은 점수를 얻은 팀이 이긴다.

TIP 아이들이 서로의 눈에 손전등을 비추지 않도록 주의를 시킨다.

1 밤중에 예수님을 찾아간 사람은 누구인가요?
니고데모 (요 3:1~2)

2 니고데모는 어떤 사람이었나요?
그는 바리새인이었으며, 유대인의 지도자였다 (요 3:1)

3 예수님은 사람이 하나님의 나라를 보려면 어떻게 해야 한다고 말씀하셨나요?
거듭나야 한다고 말씀하셨다 (요 3:3)

4 예수님은 구약성경의 어떤 이야기를 들려주셨나요?
모세가 광야에서 뱀을 든 이야기 (요 3:14)

5 하나님은 세상에 대한 사랑을 어떻게 나타내셨나요?
독생자를 주셨다 (요 3:16)

6 예수님을 믿는 사람은 무엇을 얻게 되나요?
영원한 생명 (요 3:16)

7 예수님은 자신이 누구라고 하셨나요?
예수님은 자신이 메시아라고 말씀하셨어요.

— 최선을 다해 하나님의 율법을 지키던 니고데모는 예수님에 대해 알고 싶었어요. 하지만 예수님은 그가 하나님 나라를 볼 수 없을 것이라고 말씀하셨어요. **예수님은 니고데모에게 그가 다시 태어나야 한다고 말씀하셨어요.** 우리가 예수님을 믿고 의지할 때, 성령님은 우리가 새로운 생명을 얻고 하나님의 자녀로 다시 태어나도록 도와주세요! 우리 죄를 용서받고 영원히 하나님과 함께 살게 되어요.

탐험하기

새사람이 되어요

[준비물] 학생용 교재 43쪽, 연필이나 색연필, 성경

① 성경에서 요한복음 3장 3절을 찾아, 함께 큰 소리로 읽는다.

② 아이들에게 '거듭나다'라는 말이 무슨 의미인지 물어본다.

③ 힌트를 참고해 빈칸에 들어갈 글자 5개를 찾아 문장을 완성해 보라고 한다.

— 오늘 성경 이야기에서 니고데모는 밤중에 예수님을 찾아갔어요. 왜냐하면, 궁금한 것이 많았거든요. 예수님은 니고데모에게 거듭남에 관해 말씀하셨어요. **예수님은 니고데모에게 그가 다시 태어나야 한다고 말씀하셨어요.** 하나님 안에서 다시 태어나는 것은 오직 예수님을 믿는 믿음으로 가능해요.

손도장 쾅! *

[준비물] 종이 접시, 물감, 붓, 물통, 물티슈, 성경, 사인펜

① 아이들에게 준비물을 나누어 주고, 종이 접시가 땅처럼 보이도록 물감으로 칠하라고 한다.

② 손바닥에 초록색 물감을 칠하고, 지구 위의 대륙처럼 보이도록 접시 위에 손도장을 찍으라고 한다.

③ 물감이 마르는 동안 물티슈로 손을 닦게 한다.

④ 성경에서 요한복음 3장 16절을 찾아 접시의 뒷면에 사인펜으로 쓰게 한다.

— 요한복음 3장 16절은 잘 알려진 성경 구절 중 하나예요. 혹시 오늘 성경 이야기에 이 말씀이 나오는 것을 알아챘나요? 예수님은 니고데모에게 하나님이 세상을 사랑하셔서 그의 하나뿐인 아들을 보내셨다고 말씀하셨어요. 세상을 죄와 죽음에서 구원하기 위해서 말이에요. 우리는 모두 태어나면서부터 영적으로 죽은 죄인이에요. 그러나 예수님을 믿으면 하나님의 자녀로 다시 태어날 수 있어요. 우리는 예수님을 통해 영원한 생명을 얻었어요. 여러분이 만든 작품을 볼 때마다 온 세상에 예수님이 필요하다는 사실을 기억하세요. 예수님은 이 세상을 구하기 위해 죽으시고 살아나셨어요. 예수님에 대해 알지 못하는 친구에게 복음을 전할 시간을 마련해 보세요.

빛으로 채워요 *

[준비물] 손전등(인원수대로)

① 예배실의 조명을 어둡게 하고, 아이들에게 손전등을 각각 나누어 준다.

② 술래 한 명을 정한다. 술래만 손전등을 켜고 나머지 아이들은 손전등을 끄게 한다.

③ 술래잡기를 하면서 술래에게 잡힌 아이는 손전등을 켜고 술래와 함께 다른 아이들을 잡을 수 있다고 말해 준다.

④ 아이들의 손전등이 모두 켜지면 놀이를 끝낸다.

— 밤중에 **니고데모가 예수님을 찾아왔어요.** 그는 예수님과 만나는 것을 다른 사람들에게 숨기고 싶었는지도 몰라요. 예수님은 죄인들이 어둠을 사랑한다고 말씀하셨어요. 왜냐하면, 죄인들은 자신의 죄가 보이지 않도록 어둠 속에 숨고 싶어 하기 때문이에요.
예수님은 세상에 빛으로 오셨어요(요 3:19~20 참조). 예수님을 믿으면, 우리도 세상의 빛이 될 수 있어요. 우리는 사람들이 죄를 숨기려 하는 어두운 곳에 진리의 빛을 비출 수 있어요. 하나님은 우리를 통해 사람들에게 예수님을 전하고, 온 땅을 진리의 빛으로 채우기 원하세요!

보물 상자

나만의 기록장

[준비물] 학생용 교재 44쪽, 연필이나 색연필

① 니고데모처럼 예수님을 만나 묻고 싶은 질문이 있는지 물어본다.

② 묻고 싶은 질문을 적어보라고 하고, 적은 것을 갖고 함께 이야기를 나눈다.

— 니고데모는 예수님이 누구신지 정확히 알지 못했어요. 그는 예수님께 질문도 하고 배우려고 했어요. 그래서 예수님을 찾아가 이야기했고, 또 예수님의 말씀에 귀를 기울였어요. 우리도 예수님을 더 많이 알기 위해 성경을 읽고 기도하는 시간을 가질 수 있어요. 예수님과 많은 시간을 함께하며 더욱 친밀해지고 믿음이 성장하길 바라요.

메시지 카드

이번 주 메시지 카드로 부모님과 함께 오늘 배운 성경 이야기를 나누어 보라고 한다.

기도

하나님, 언제나 약속을 지키시는 신실하신 하나님을 찬양합니다. 예수님을 이 땅에 보내 주셔서 죄로 인해 죽을 수밖에 없는 우리를 구원해 주셔서 감사합니다. 우리가 하나님을 더욱 사랑하고, 믿음 안에서 다시 태어날 수 있도록 인도해 주세요. 그래서 하나님께 영광 돌리는 우리가 되게 해 주세요. 예수님의 이름으로 기도합니다. 아멘.

칼럼

어린이 사역에서 행하기 쉬운 치명적인 실수

사역 현장에는 사역 인도자들과 교사들과의 관계를 위협하는 여러 위험이 도사리고 있습니다. 아주 사소한 실수이지만 틈이 벌어지게 하는 일들이 종종 일어납니다. 흔히 겪게 되는 일곱 가지 실수에 대해 생각해 보십시오.

1. 개인적인 비전이나 목표, 사명감 없이 사역을 이끌고 있습니까?

방향성이나 기준 없이 그럴듯한 의견에 사로잡히곤 하지 않습니까? 하나님께서 여러분을 어디로 인도하시는지 청종하며, 그 길을 따라가고, 동역하는 교사들과 어린이들을 일관된 태도로 대하십시오.

2. 수직적 관계로 일하고 있습니까?

리더십은 교사들을 섬기도록 부름받았습니다. 그들 위에 군림하도록 부름받은 것이 아닙니다. 최근에 그들을 섬기기 위해 어떤 일을 했는지 생각해 보십시오.

3. 개인적인 성경 공부나 하나님과 함께하는 묵상의 시간을 무시하고 있습니까?

이것은 절대로 타협해서는 안 되는 것입니다. 말씀 가운데 거하지 않는 사람은 절대로 리더가 될 수 없습니다. 하나님과 함께하는 시간을 많이 가질수록 은혜가 흘러 넘치고, 그 은혜로 사람들을 이끌 수 있습니다.

4. 교사 훈련이 필요 없다고 생각하거나 게을리하고 있습니까?

여러분은 사역을 인도할 뿐만 아니라 그들의 코치이기도 합니다. 그 역할을 진지하게 받아 들이십시오. 무엇을 해야 할지 지시만 하지 말고, 지속 적으로 격려하며 그들 곁에서 걸어가십시오.

5. 일 중심으로 관계를 소홀히 하고 있습니까?

사역 중에는 반드시 처리되어야 할 행정적인 일들이 있습니다. 그러나 이는 사람들과 함께하는 시간보다 우선시 되어서는 안됩니다. 교사의 말에 귀 기울이며 공동체의 목표를 향해 함께 나아가야 합니다.

6. 기도의 힘을 잊어버렸습니까?

교사들의 이름을 부르며 정기적으로 기도하십시오. 그들을 위해 기도하고 있다는 사실을 그들이 알게 하십시오. 그들을 위해 '어떻게' 기도하면 좋을지 물어보는 것도 좋습니다.

7. 교사들이 변화에 쉽게 적응할 수 있다고 생각합니까?

교사들 가운데 어떤 이들은 변화를 원하지만, 어떤 이들은 여전히 왜 변화가 필요한지 이유를 찾지 못하거나 그 변화가 자신에게 어떤 영향을 미치게 될지를 스스로 깨닫지 못하는 경우도 있습니다. 그들이 '편안하게' 변화에 적응할 수 있도록 돕는 마음으로 시간을 갖고 기다려 주십시오.

다음 한 주 동안 기도하는 마음으로 자신과 공동체를 돌아보는 시간을 갖기 바랍니다.

제리 보겔(Jerry Vogel)은 라이프웨이키즈(LifeWay Kids)에서
어린 사역 편집 전문가로 일하고 있습니다.
제리는 아이들을 가르치는 사람들의 삶을 풍성하게 하는 것과
아이들의 삶에 영원한 투자를 하는 것에 헌신하고 있습니다.

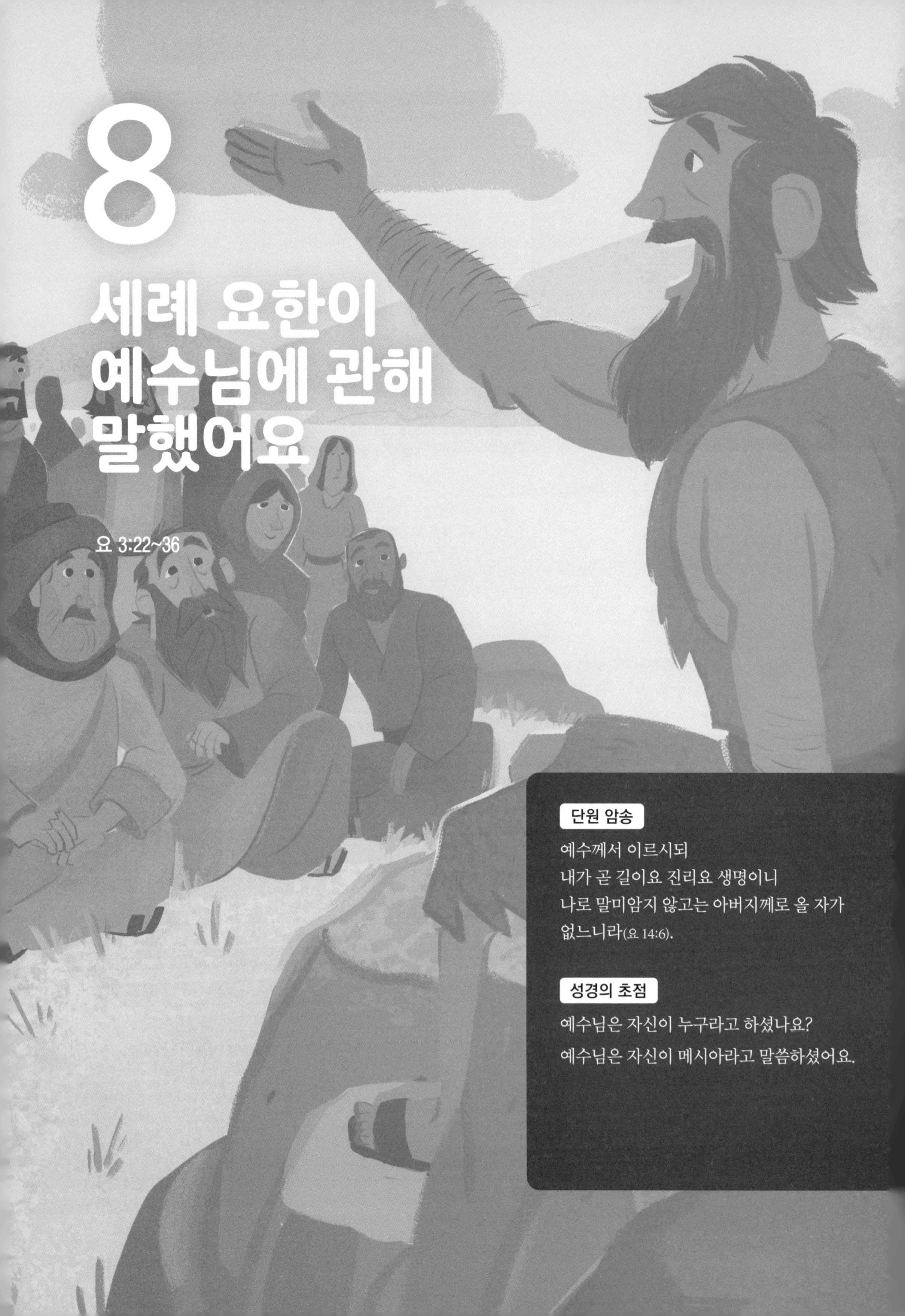

8

세례 요한이 예수님에 관해 말했어요

요 3:22~36

단원 암송

예수께서 이르시되
내가 곧 길이요 진리요 생명이니
나로 말미암지 않고는 아버지께로 올 자가
없느니라(요 14:6).

성경의 초점

예수님은 자신이 누구라고 하셨나요?
예수님은 자신이 메시아라고 말씀하셨어요.

본문 속으로

예수님은 제자들과 함께 유대 지방으로 가셨습니다. 예수님과 제자들은 사람들과 함께 지내며 세례를 베푸셨습니다. 세례 요한도 세례를 베풀고 있었습니다. 세례는 자기의 죄를 회개한 사람들이 깨끗하게 되었음을 나타내는 외적인 표시입니다.

세례 요한의 제자들은 세례 요한이 세례를 주고 증언했던 사람의 제자들이 다른 사람들에게 세례를 베푸는 모습을 보았습니다. 아마도 그들은 세례 요한의 사역을 지켜야 한다고 느꼈을지 모릅니다. 하지만 세례 요한은 하나님이 자신에게 주신 인생의 목적을 그들에게 설명해 주었습니다. 세례 요한은 그가 태어나기 오래전부터 주의 길을 예비하는 자로 하나님께 선택되었습니다(말 3:1; 사 40:3 참조).

세례 요한은 예수님이 누구신지 이해했습니다. 예수님이 자신보다 크시다고 말한 세례 요한의 증언을 참고해 다음과 같이 두 사람을 비교해 보십시오.

첫째, 그들은 누구입니까? 세례 요한은 "나는 그리스도가 아니요"(요 3:28)라고 분명히 말했습니다. 그는 신랑이 아니라 신랑의 친구였습니다. 신랑은 바로 예수님이셨습니다(요 3:29 참조). 예수님과 세례 요한은 어디서 왔습니까? 세례 요한은 땅에서 왔고 땅에 속해 있었습니다. 그러나 예수님은 위로부터 오셨으며 만물 위에 계신 분이십니다(요 3:31 참조).

둘째, 그들은 각각 어떤 일을 했습니까? 세례 요한은 "그는 흥하여야 하겠고 나는 쇠하여야 하리라"(요 3:30)라고 말했습니다. 그는 빛에 대해 증언하는 증인이었습니다(요 1:7~8 참조). 또한 광야에서 말씀을 전하는 소리였습니다(요 1:23 참조). 하지만 예수님은 말씀 그 자체이셨습니다(요 1:14 참조). 세례 요한은 물로 세례를 주었지만, 예수님은 성령으로 세례를 주셨습니다(요 1:33 참조).

마지막으로, 그들은 왜 이 땅에 있었습니까? 예수님보다 먼저 보냄을 받은 세례 요한은 예수님으로 인해 기뻐했습니다(요 3:28~29 참조). 그리고 예수님은 사람들에게 영원한 생명을 주려고 이 땅에 오셨습니다(요 3:36 참조). 하나님의 구원 계획에 따라 예수님이 이 땅에서 사역을 하시도록 세례 요한이 자리를 비켜 줄 때가 되었습니다.

주 제

예수님은 하늘에서 이 땅으로 오셨어요.

가스펠 링크

예수님이 이 땅에 오셔서 사역을 시작하시자 세례 요한은 사명을 다하고 기꺼이 물러났어요.

●● 티칭 포인트

아이들에게 모든 사람은 영적으로 죽고 하나님에게서 분리된 죄인으로 태어난다는 사실을 알려 주십시오. 우리는 우리의 노력이 아닌 하나님의 영(성령)으로만 다시 태어날 수 있습니다. 이제 예수님의 사역은 시작되었고, 예수님은 죄인들을 구원하시려는 하나님의 뜻에 순종하실 것입니다.

세례 요한이 예수님에 관해 말했어요 요 3:22~36

예수님은 제자들과 함께 예루살렘을 떠나 유대 땅으로 가셨어요. 예수님이 그곳에서 지내시는 동안 이 소식을 들은 사람들이 예수님을 찾아왔어요. 예수님은 사람들을 가르치시고 세례를 베푸셨어요.

세례 요한도 가까운 곳에서 사람들에게 세례를 베풀고 있었어요. 세례 요한을 따르던 몇몇 제자들이 논쟁을 벌였어요. 그들은 세례 요한에게 가서 "랍비여, 보십시오. 요단강 건너편에서 선생님과 함께 계시던 분, 곧 선생님께서 증언하신 그분이 세례를 주고 있는데, 사람들이 모두 그분에게로 모여듭니다"라고 말했어요.

세례 요한은 그들에게 이렇게 대답했어요. "하늘에서 주시지 않으면 사람은 아무것도 받을 수 없다. 내가 전에 '나는 그리스도가 아니고 그분보다 앞서 보냄을 받은 사람이다'라고 한 말을 증언할 사람들은 바로 너희다."

세례 요한은 결혼식을 예로 들어 설명했어요. 결혼식에서 신부와 결혼하는 사람은 신랑이에요. 신랑의 친구는 신랑을 기다렸다가 신랑의 음성이 들리면 기뻐해요. 신랑의 친구가 기뻐하는 마음, 이것이 세례 요한이 느꼈던 마음이에요. 그는 메시아이신 예수님이 오셔서 기뻤어요.

세례 요한은 또한 결혼식은 신랑에게 아주 특별한 날이라는 것을 알았어요. 신랑의 친구가 자신을 드러내서는 안 되지요. 세례 요한은 "그는 흥하여야 하고, 나는 쇠하여야 한다"라고 말했어요.

세례 요한은 왜 예수님이 자신보다 더 중요한 분이신지 설명했어요. 세례 요한은 땅에서 났고 땅에 속한 것에 관해서만 이야기할 수 있었어요. 반면 예수님은 하늘에서 오셨기 때문에 하늘에 관한 것을 이야기하실 수 있었어요! 직접 보고 들으셨기 때문이지요. 그러나 아무도 예수님의 말씀을 믿지 않았어요.

세례 요한이 말했어요. "예수님의 말씀을 받아들인 사람은 하나님이 참되신 분임을 인정하는 것이다. 하나님께서 보내신 그분은 하나님의 말씀을 전하신다."

그리고 "아버지께서는 아들을 사랑하셔서 모든 것을 아들의 손안에 맡기셨다. 아들을 믿는 사람에게는 영생이 있다. 그러나 아들에게 순종하지 않는 사람은 생명을 보지 못하고 도리어 하나님의 진노를 받게 된다"라고 말했어요.

●● 가스펠 링크

세례 요한은 사람들에게 약속된 메시아이신 예수님의 오심을 예비하라고 말했어요. 예수님이 이 땅에 오셔서 사역을 시작하시자 세례 요한은 사명을 다하고 기꺼이 물러났어요.

가스펠 준비 10~20분

*는 선택 활동입니다.

환영

도착하는 아이들을 반갑게 맞이하고 헌금, 출석, QT 등을 확인하며 격려한다. 새 친구가 있다면 소개한다. 편안한 분위기에서 안부를 물으며 오늘의 말씀과 관련된 화제로 이야기를 나눈다. 자신이 하던 일을 다른 사람이 하게 된 경험이 있는지 물어본다. 자발적으로 대화에 참여하도록 이끈다.

예) "자신이 하던 일을 다른 사람이 하게 된 적이 있나요?", "그때 기분이 어땠나요?" 등.

── 어떤 사람이 나보다 일이나 공부를 더 잘한다고 생각할 때 여러 가지 감정이 생길 수 있어요. 그 사람이 나보다 중요한 것처럼 느껴질 수도 있지요. 오늘의 성경 이야기는 자신의 자리를 다른 사람에게 넘겨줄 때가 되었다는 것을 알고 기꺼이 내어 주었던 한 사람에 관한 이야기예요. 그는 자신의 자리를 내어 주면서 기뻐했어요! 왜 그랬을까요?

마음 열기

높게 또는 낮게 *

① '멀리뛰기', '높이뛰기', '높은 곳에 손 닿기' 등 여러 가지 대회를 개최해 누가 가장 잘하는지 확인한다.

② 그런 다음 '낮은 자세로 기어가기', '부드럽게 속삭이기' 등도 해 보고 누가 가장 잘하는지 확인한다.

③ 높은 선반에 팔을 닿거나, 작은 공간에 들어가는 것과 같은 행동이 필요한 상황에 관해 함께 이야기를 나누어 본다.

── 오늘의 성경 이야기에서 세례 요한이 예수님은 흥하여야 하고 자신은 쇠하여야 한다고 말한 것에 관해 배울 거예요. 세례 요한이 한 말은 무슨 뜻일까요? 여러분은 다른 누군가가 자신보다 더 뛰어나다는 사실을 인정하기 쉬운가요? 아니면 어려운가요?

줄 세우기 *

[준비물] 다양한 장난감(또는 여러 종류의 단추, 비즈, 콩, 블록)

① 아이들에게 다양한 장난감을 나누어 준다.

② 장난감을 다양한 기준에 따라 한 줄로 나열하게 한다.

· 작은 것부터 큰 것까지 순서대로 나열하세요.

· 연한 색깔부터 진한 색깔까지 순서대로 나열하세요.

· 가벼운 것부터 무거운 것까지 순서대로 나열하세요.

── 예수님이 사역을 시작하시기 전에 많은 사람이 세례 요한을 따랐어요. 그러나 예수님이 사람들에게 하나님에 관해 가르치고 기적을 행하기 시작하시면서, 이제 세례 요한은 뒤로 물러날 때가 되었어요. 예수님이 더 큰 분이셨기 때문이에요. 성경 이야기를 통해 예수님이 어떤 분이신지 세례 요한이 이야기하는 것을 들어 보아요.

교사를 위한 기록장 이 과를 준비하면서 깨닫게 된 묵상을 정리해 보세요.

· 하나님이나 나에 대해 새롭게 알게 된 것은?

· 기억하고 싶은 하나님의 약속은?

· 아이들에게 전하고 싶은 메시지는?

가스펠 설교

15~30분

들어가기

[준비물] 교통안전 조끼, '주의'라고 쓰인 테이프

밝은 색의 교통안전 조끼를 착용하고 들어온다. '주의'라고 쓰인 테이프를 무대 주변에 두른다.

안녕하세요, 여러분! 여러분을 다시 보게 되어 기뻐요. 거리 축제는 일주일 동안 열릴 거예요. 많은 사람이 축제를 기대하고 있어요. 정말 크고 멋진 축제가 될 거예요!

저는 건설 예정 지역을 표시하려고 여기에 왔어요. 이 지역은 훌륭하지만, 최고는 아니에요. 축제를 위해 이곳을 더 멋지게 만들 거예요! 다양한 푸드 트럭을 위한 공간과 더 많은 화장실을 마련할 거예요. 이야기를 나누다 보니 오늘의 성경 이야기가 생각나네요. 오늘의 성경 이야기는 그저 그런 이야기가 아니에요! 예수님이 어떤 분이신지 더 잘 이해하도록 도와줄 거예요.

연대표

니고데모가
예수님을 찾아왔어요

세례 요한이 예수님에
관해 말했어요

예수님이 사마리아
여인을 만나셨어요

예수님이 고향에서
거절당하셨어요

연대표에서 우리가 어디쯤 왔는지 한번 볼까요? 지난주에 무슨 이야기를 나누었지요? 아이들의 대답을 기다린다. 맞아요. 이제 기억이 나요. 니고데모가 예수님을 찾아온 이야기를 들었어요. **예수님은 니고데모에게 그가 다시 태어나야 한다고 말씀하셨어요.** 다시 태어난다는 말은 예수님을 믿음으로써 영적으로 거듭나는 것을 의미한다고 배웠어요.

이번 주에는 예수님을 만난 다른 사람에 관해 배울 거예요. 바로 세례 요한이에요. 여러분은 아마도 몇 주 전에 예수님이 세례를 받으셨던 이야기를 기억할 거예요. 이번 주에는 예수님이 하나님과 하나님 나라에 대해 가르치기 시작하시면서 예수님과 세례 요한 사이에 어떤 일이 일어났는지 배울 거예요. 연대표에서 오늘의 성경 이야기를 가리킨다. 오늘의 성경 이야기는 "세례 요한이 예수님에 관해 말했어요"예요.

성경의 초점

우리는 그동안 성경이 예수님을 누구라고 말하는지 배웠어요. **예수님은 자신이 누구라고 하셨나요? 예수님은 자신이 메시아라고 말씀하셨어요.** 메시아는 '기름 부음 받은 자' 또는 '선택받은 자'라는 의미로 예수님을 가리켜요. 하나님이 예수님을 이 땅에 보내 우리의 죄를 위한 완전한 희생 제물이 되게 하셨기 때문이에요. 오늘의 성경 이야기를 들으면서 예수님이 진정한 메시아이신 것을 어떻게 알 수 있는지 함께 생각해 보아요.

성경 이야기

DVD 요한복음 3장 22~36절을 펴고, 설교 영상(지도자용 팩)을 보여 주거나 이야기 성경을 들려준다. 인도자가 "세례 요한"이라고 말하면 아이들은 "땅에서 난 자"라고 말하고, "예수님"이라고 말하면 "하늘에서 내려온 자"라고 말하게 한다.

세례 요한은 예수님이 오실 길을 예비하기 위해 하나님이 보내신 특별한 심부름꾼이었어요. 그는 사람들에게 죄를 회개하고 메시아를 맞이할 준비를 하라고 경고했어요.

사역을 시작하신 예수님이 사람들을 가르치시고 기적을 행하시자, 세례 요한을 따르는 사람들은 혼란스러웠어요. 그들은 새로운 선생, 예수님이 누구인지 궁금했어요. 세례 요한은 그들에게 예수님이 누구신지 말해 주었어요.

세례 요한의 역할은 메시아가 오기 전에 사람들을 준비시키는 것이었어요. 메시아이신 예수님이 이 땅에 오시고 사역을 시작하시면서 세례 요한의 일은 끝나 갔어요.

세례 요한은 예수님이 자신보다 더 중요한 분이라는 사실을 알았고, 자신을 따르는 사람들이 예수님을 따르기를 원했어요. 세례 요한에게는 사람들을 죄에서 구원할 능력이 없었지만, 예수님은 사람들을 구원할 능력을 갖고 계셨지요! 한동안 사람들의 관심이 세례 요한에게 집중되었어요. 많은 사람이 회개하고 죄에서 돌이키도록 도왔기 때문이지요. 그러나 예수님은 하나님의 아들이세요. **예수님은 하늘에서 이 땅으로 오셨어요.** 이제 예수님이 관심의 중심에 계셔야 할 때가 되었어요. 예수님이야말로 죄인들을 구원할 분이시기 때문이에요.

가스펠 링크

세례 요한은 사람들에게 약속된 메시아이신 예수님의 오심을 예비하라고 말했어요. 예수님이 이 땅에 오셔서 사역을 시작하시자 세례 요한은 사명을 다하고 기꺼이 물러났어요. 그는 사람들이 예수님을 믿기 원했어요. 예수님이야말로 사람들을 죄에서 구원할 분이시기 때문이에요. 우리가 예수님을 주님이자 구세주로 믿으면, 하나님은 우리의 죄를 용서하시고 영원한 생명을 주세요.

찬양

완전한 계획

아브라함과 다윗의 자손 온 세상의 구원자
우릴 구하실 아버지 계획 그 약속을 지키려
하늘로부터 이 땅에 오신 하나님의 아들
하나님 떠난 세상을 회복하실 완전한 계획 예수

우리를 위해 순종함으로 희생의 제물 되신
그 약속 위에 사람이 되어 구유에 누이신 분
하늘로부터 이 땅에 오신 하나님의 아들
하나님 떠난 세상을 회복하실 완전한 계획

하늘로부터 이 땅에 오신 하나님의 아들
하나님 떠난 세상을 회복하실 완전한 계획 예수.

복음 초청

성경과 85쪽 복음 초청 가이드를 이용해서 아이들에게 그리스도인이 되는 법을 설명해 준다. 따로 상담해 줄 사람을 정해 주고 궁금한 점이 있으면 물어보도록 격려한다.

이 시간 예수님을 마음에 모시고 싶은 친구는 함께 기도해요.

기도

하나님, 이 땅에 오신 예수님을 기쁘게 맞이하고 자신의 자리에서 기꺼이 물러난 세례 요한에 대해 배웠습니다. 우리에게 예수님을 보내심으로 약속을 이루신 신실하신 하나님을 찬양합니다. 예수님을 믿고 사랑하며, 우리 마음의 중심에 예수님을 모실 수 있도록 도와주세요. 예수님의 이름으로 기도합니다. 아멘.

적용

TIP 설교 도입이나 적용으로 활용하거나 영상을 본 뒤 소그룹으로 나누어 풍성한 대화를 이어 갈 수 있습니다.

여러분은 대회에서 1등을 해 본 적 있나요? 혹시 1등을 하지 못했다는 것을 알고 충격을 받은 적이 있나요? 오늘의 영상을 보는 동안 이 질문에 대해 생각해 보세요.

적용 예화 영상(지도자용 팩)을 보여 준다.

최고로 인정받았을 때 기분이 어땠는지 이야기를 나누어 본다.

왜 제빵사가 1등을 한 것이 당연한 일이었나요? 정말로 인정받아야 하는 이는 누구인가요? 우리가 가진 재능과 기술에 대해 인정받아야 하는 분은 누구인가요?

우리에게는 우리가 성취한 일에 대해 인정받고 싶은 마음이 있어요. 그러나 사실, 세상의 모든 것에 대해 인정을 받아야 하는 분은 하나님이세요. 세례 요한은 이 사실을 알았기 때문에 예수님이 가장 중요한 분으로 인정받으시도록 기쁜 마음으로 도왔어요. 우리 삶에서 예수님이 영광 받으시도록 우리 자신을 내려놓는 방법에는 무엇이 있을까요?

가스펠 소그룹

10~20분

나침반

하나님께 가는 길

[준비물] 학생용 교재 48쪽, 연필이나 색연필

① 예수님은 자신이 누구라고 하셨는지 아이들에게 물어본다.

② 흐린 글씨를 따라 쓰며 요한복음 14장 6절 말씀을 완성하게 한다.

③ 암송 구절을 여러 번 읽으며 암송할 수 있도록 돕는다.

— 예수님은 사람들에게 자신에 관한 말씀을 많이 하셨어요. 요한복음 14장 6절은 예수님만이 하나님과 영원히 함께 살 수 있는 유일한 길이라는 사실을 말해 주어요. 하나님과 함께할 수 있는 다른 길은 없어요.

보물 지도

딩동댕!

[준비물] 성경

① 아이들을 한 줄로 세우고, 한 사람씩 차례대로 질문에 답하게 한다.

② 질문을 받은 아이는 정답을 말하고 뒤로 가서 줄의 맨 끝에 서라고 한다.

③ 정답을 말하지 못하면 줄 끝으로 이동해 다음 차례의 아이가 대답하게 한다.

④ 다음 아이도 답을 말하지 못하면, 성경을 찾아 답을 말할 수 있도록 도와준다.

1 예수님은 유대 땅에서 무엇을 하셨나요?

제자들과 함께 지내시며 세례를 베푸셨다 (요 3:22)

2 세례 요한을 따르는 사람들은 그에게 무엇이라고 말했나요?

세례 요한이 증언하던 이가 세례를 주자 사람들이 다 그에게 갔다고 말했다 (요 3:26)

3 세례 요한은 자신이 누가 아니라고 했나요?

그리스도 (요 3:28)

4 세례 요한은 자신과 예수님을 누구에 비유했나요?

예수님은 결혼식의 주인공인 신랑에, 그리고 자신은 신랑의 친구에 비유했다 (요 3:29)

5 세례 요한은 누가 더 흥해야 한다고 말했나요?

예수님 (요 3:30)

6 예수님은 어디에서 오셨나요?

예수님은 하늘에서 이 땅으로 오셨다 (요 3:31)

7 예수님은 누구의 말씀을 전하셨나요?

하나님의 말씀 (요 3:34)

8 아들을 믿는 사람은 무엇을 얻게 되나요?

영생 (요 3:36)

9 영생을 얻지 못하는 사람은 누구인가요?

아들에게 순종하지 않는 자 (요 3:36)

10 예수님은 자신이 누구라고 하셨나요?

예수님은 자신이 메시아라고 말씀하셨어요.

— 세례 요한은 하나님의 나라에 대해 전하고, 세례를 베풀며, 사람들이 예수님의 오심을 준비할 수 있도록 도왔어요. **예수님은 하늘에서 이 땅으로 오셨어요.** 그리고 사람들에게 하나님 나라에 대해 가르치시며 죄를 회개하라고 말씀하셨지요.

예수님의 모습은 세례 요한을 따르는 몇몇 사람들에게 마치 세례 요한을 따라하는 것처럼 보였을지도 몰라요. 하지만 세례 요한은 예수님이 하나님의 아들이라는 사실을 알았어요. 그리고 그는 예수님만이 사람들을 죄에서 구원하실 수 있다는 것을 잘 알고 있었지요. 예수님이 이 땅에 오셔서 사역을 시작하시자 세례 요한은 사명을 다하고 기꺼이 물러났어요.

탐험하기

우리에게 주신 것

[준비물] 학생용 교재 49쪽, 연필이나 색연필

① 각 질문에 해당하는 사람의 칸에 적힌 문자에 ○표 하라고 한다.

② 그림 암호를 풀어 알맞은 단어를 찾고, ○표 한 문자들을 조합한 단어를 빈칸에 넣어 문장을 완성하게 한다.

— 세례 요한은 예수님이 오실 길을 예비하는 사람이었어요. 그는 자신보다 더 중요한 이가 오셔서 자신의 자리를 대신할 것을 알았어요. 예수님이 이 땅에 오셔서 사역을 시작하시자 세례 요한은 사명을 다하고 기꺼이 물러났어요.

누구일까요?	예수님	세례 요한
1. 주님의 길을 예비했어요.	ㅈ	**ㅅ**
2. 하늘에서 이 땅으로 왔어요.	**ㅐ**	ㅓ
3. 그리스도가 아니라고 했어요.	ㄱ	**ㅇ**
4. 말씀 그 자체였어요.	**ㅁ**	ㅂ
5. 성령으로 세례를 주었어요.	**ㅕ**	ㅠ
6. 물로 세례를 주었어요.	ㄹ	**ㅇ**

예수님은 영 원 한

생 명 을 주러 오셨어요.

낮게 더 낮게 *

[준비물] 줄(180cm 정도)

① 아이들 중에 2명을 뽑아 앞으로 나오게 하고, 줄 양쪽 끝을 각각 잡고 머리 위로 수평이 되게 들라고 한다.

② 한 사람씩 순서대로 줄을 건드리거나 손을 바닥에 닿지 않게 하면서 줄 아래로 지나가게 한다.

③ 모든 아이가 줄을 지나가면, 다른 아이가 나와 줄을 들게 한다.

④ 점점 줄의 높이를 낮추며 놀이를 계속한다.

⑤ 가장 낮은 위치의 줄을 성공적으로 통과한 아이가 이긴다.

— 점점 낮아지는 줄 아래를 통과하기 위해서는 우리의 몸도 점점 낮아져야 했어요. 이 놀이는 세례 요한이 예수님께 했던 행동과 비슷하기도 해요. 세례 요한은 사람들이 예수님의 오심을 준비할 수 있도록 돕는 일을 했어요. 세례 요한은 사람들에게 약속된 메시아이신 예수님의 오심을 예비하라고 말했어요. 예수님이 이 땅에 오셔서 사역을 시작하시자 세례 요한은 사명을 다하고 기꺼이 물러났어요.

순서대로 나열하기 *

[준비물] 색인 카드, 펜

① 색인 카드에 가치의 증가(좋음, 더 좋음, 가장 좋음)를 나타내는 3개의 문장을 각각 적어 12장이 한 세트가 되도록 준비한다. 문장에 예수님의 위대함을 나타내는 내용을 포함한다.

예) · 죄를 설명하기(좋음), 죄에 대해 경고하기(더 좋음), 죄에서 구원하기 위해 죽기(가장 좋음)

· 성경을 가지고 있음(좋음), 성경을 매일 읽음(더 좋음), 성경을 읽고 말씀대로 순종함(가장 좋음)

· 맛있는 음식 냄새 맡기(좋음), 맛있는 음식 맛보기(더 좋음), 맛있는 음식을 친구와 나누어 먹기(가장 좋음)

· 예수님이 구원자이심을 듣기(좋음), 예수님을 구세주로 믿기(더 좋음), 다른 사람들에게 예수님을 전하기(가장 좋음)

② 아이들에게 색인 카드 한 세트(12장)를 나누어 주고, '좋음-더 좋음-가장 좋음' 순서대로 카드를 나열해 보라고 한다.

③ 아이들과 나열한 카드의 순서를 확인해 본다.

— 우리는 각 카드의 내용을 읽고 점점 더 좋은 순서로 나열해 보았어요. 어떤 카드에는 예수님에 관한 내용이 있었어요. **예수님은 하늘에서 이 땅으로 오셨어요.** 세례 요한은 예수님이 사람들을 죄에서 구원하실 약속된 구원자라는 사실을 알았어요. 예수님이 이 땅에 오셔서 사역을 시작하시자 세례 요한은 사명을 다하고 기꺼이 물러났어요.

보물 상자

나만의 기록장

[준비물] 학생용 교재 50쪽, 연필이나 색연필

① 자신의 삶 속에서 어떻게 예수님께 영광을 돌릴 수 있을지 그 방법을 떠올려 보라고 한다.

② 생각해 낸 방법을 그림이나 글로 표현하게 한다.

③ 적은 내용을 함께 나누며 서로를 위해 기도한다.

— 예수님은 자신이 누구인지 말씀하셨어요. **예수님은 자신이 누구라고 하셨나요? 예수님은 자신이 메시아라고 말씀하셨어요.** 세례 요한의 역할은 사람들의 마음이 예수님을 향하도록 돕는 것이었어요.

하나님은 우리가 다른 사람들에게 예수님을 전하기 원하세요. 예수님의 사랑과 용서를 경험하게 되면 예수님은 예수님께 영광 돌리는 삶을 살 수 있도록 우리를 바꾸어 주세요. 우리는 다른 사람들에게 예수님에 대해 전하고, 예수님의 말씀에 순종함으로 영광을 돌릴 수 있어요.

메시지 카드

이번 주 메시지 카드로 부모님과 함께 오늘 배운 성경 이야기를 나누어 보라고 한다.

기도

하나님, 이 땅에 예수님을 보내 주신 하나님을 찬양합니다. 죄로 인해 죽을 수밖에 없는 우리를 구원하시고, 예수님을 믿는 자들을 하나님의 자녀로 삼아 주셔서 감사합니다. 예수님의 십자가 사랑을 기억하며 날마다 하나님께 영광을 돌리며 살 수 있도록 인도해 주세요. 예수님의 이름으로 기도합니다. 아멘.

복음 초청 가이드

나를 위한 하나님의 멋진 계획

'복음'이라는 말을
들어 본 적 있니?
복음이란
'좋은 소식'이라는 뜻이야.
우리에게 보내신 하나님의
좋은 소식이 무엇일까?

하나님은 세상을 만드셨단다

하나님은 온 세상을 만드셨고 사람을 아름답게 창조하셨어.
(창세기 1:1; 골로새서 1:16~17; 요한계시록 4:11)

사람들은 죄를 짓고 하나님을 떠났어

그런데 사람들은 모두 죄를 지었고 하나님에게서 떠나 버렸어.
죄를 짓고 하나님과 관계가 끊어진 사람들은 결국 죽을 수밖에 없단다.
(로마서 3:23, 6:23)

하나님은 구원 계획을 갖고 계신단다

우리는 아무리 노력해도 하나님과 하나 될 수 없었고 죽을 수밖에 없었어. 그래서 하나님은 우리를 구원하시고 다시 살리시기 위해서 예수님을 보내 주셨단다.
(요한복음 3:16; 에베소서 2:8~9)

예수님이 우리에게 생명을 주셨어

예수님은 우리의 죄를 씻어 주시려고 십자가에서 우리 대신 죽으셨단다. 우리는 예수님 때문에 다시 깨끗해졌고 하나님과 함께 살 수 있게 되었어. 예수님이 자기의 생명을 내어 주셨기 때문에 우리는 영원한 생명을 얻을 수 있게 되었고 하나님과 함께 살 수 있게 되었어.
이것이 하나님의 최고의 선물이야!
(로마서 5:8; 고린도후서 5:21; 베드로전서 3:18)

예수님! 우리 마음에 오세요!

예수님을 믿고 마음에 받아들이면 하나님의 자녀가 된단다.
이것이 가장 좋은 소식, 복된 소식, 복음이란다.
(요한복음 1:12~13; 로마서 10:9~10, 13)

예수님을 영접하기 원하는 어린이가 있다면 개인적으로 상담하고 영접 기도를 할 수 있도록 도와주세요.
예수님이 ○○를 사랑하시는 것을 믿겠니?
예수님이 ○○의 죄를 씻어 주신 것을 믿겠니?
예수님을 ○○의 마음에 받아들이겠니?

믿음을 고백하고 예수님을 영접하기 원하는 어린이를 위해 간절히 기도해 주세요.
이제 ○○는 하나님의 자녀(아들, 딸)가 되었어!
이것이 예수님을 통해 ○○에게 이루어 주신 하나님의 계획이야!
○○야, 하나님의 자녀(아들, 딸) 된 것을 축하해!

9

예수님이 사마리아 여인을 만나셨어요

요 4:1~42

단원 암송

예수께서 이르시되
내가 곧 길이요 진리요 생명이니
나로 말미암지 않고는 아버지께로 올 자가
없느니라(요 14:6).

성경의 초점

예수님은 자신이 누구라고 하셨나요?
예수님은 자신이 메시아라고 말씀하셨어요.

본문 속으로

예수님이 이 땅에 계셨을 당시 유대인은 사마리아인과 상종하지 않았습니다. 이들 사이의 갈등은 수백 년 전 바벨론 포로기까지 거슬러 올라갑니다.

북 이스라엘을 공격한 아시리아 왕은 이스라엘 백성을 포로로 잡아가 아시리아 여러 지역에 이주시켰습니다. 그리고 바벨론과 구다와 아와와 하맛과 스발와임을 정복하고, 이들을 이스라엘 자손들을 대신해서 사마리아의 여러 성읍에 거주하게 했습니다(왕하 17:24 참조). 사마리아에 이주해 온 다른 종족의 사람들은 그 지역에 살면서 자연스럽게 이스라엘 백성과 섞이게 되었습니다. 이들 중에는 하나님을 믿는 사람도 있었지만 대다수는 예전에 자신이 섬기던 신들을 섬겼고, 자신의 생활 풍습을 유지했습니다.

예루살렘에 하나님의 성전을 재건하기 위해 바벨론에서 귀환한 유대인들은 이와 같은 새로운 삶의 방식을 거부했습니다. 그들은 하나님께 순종하고 경배하는 일에 헌신했기 때문에 사마리아인의 관행에 동의할 수 없었습니다. 사마리아인들은 유대인들이 국가를 재건하는 일에 반대했습니다. 시간이 흐르면서 유대인들은 사마리아인들을 극도로 증오하게 되었습니다. 심지어 유대에서 갈릴리로 여행하는 유대인들은 사마리아를 통과하지 않고 멀리 돌아가는 길을 택할 정도였습니다.

그러나 예수님은 사마리아를 거쳐 갈릴리로 여행하심으로 그 장벽을 무너뜨리셨습니다. 더 놀라운 것은 예수님이 정오 무렵 우물가에 머물며 사마리아 여인에게 물을 달라고 부탁하신 것입니다. 당시 유대인 남성은 공공장소에서 여성에게 말을 걸지 않았기 때문입니다.

예수님은 사마리아 여인을 친절하게 대하셨고, 그녀에게 영원히 목마르지 않을 생명의 물을 선물하셨습니다. 사마리아 여인은 다 이해하지 못했지만, 예수님은 그녀의 과거를 드러내 보이셨을 뿐 아니라 심지어 장래의 모습도 엿보게 하셨습니다. 사마리아 여인은 메시아가 오셔서 모든 것을 고쳐 주실 것이라 기대하고 있었습니다. 그리고 예수님은 "내가 그라"(요 4:26)라고 말씀하셨습니다.

주 제

예수님은 사마리아 여인에게 자신이 메시아라고 말씀하셨어요.

가스펠 링크

예수님은 사마리아 여인에게 영적인 목마름을 채워 줄 성령님에 관해 말씀하셨어요. 성령님은 믿음으로 예수님께 나아오는 모든 사람에게 임하세요.

●● 티칭 포인트

예수님이 주시는 생명의 물은 바로 성령님이시라는 것을 아이들에게 설명해 주십시오(요 7:37~39 참조). 이는 우리가 하나님께 구할 때 기꺼이 주시는 선물입니다. 하나님의 은혜를 받는 사람들은 다시는 목마르지 않을 것입니다.

예수님이 사마리아 여인을 만나셨어요 요 4:1~42

예수님은 갈릴리로 돌아가기 위해 길을 떠나셨어요. 제자들과 함께 사마리아 지역을 지나시던 예수님은 '수가'라는 마을의 우물가에서 잠시 쉬셨어요. 제자들은 음식을 구하러 마을에 들어갔어요.

그때 한 사마리아 여인이 물을 길으러 왔어요. 예수님이 여인에게 "내게 물 좀 떠 주겠느냐?" 하고 물으셨어요. 여인은 깜짝 놀랐어요. "선생님은 유대 사람인데, 어떻게 사마리아 여자인 나에게 물을 달라고 하십니까?"

예수님은 "네가 너에게 물을 달라는 사람이 누구인지를 알았더라면, 도리어 네가 그에게 부탁했을 것이고, 그는 너에게 생수를 주었을 것이다"라고 말씀하셨어요.

사마리아 여인은 어리둥절했어요. "선생님, 선생님에게는 물을 길을 그릇도 없고 이 우물은 깊은데 어디에서 생수를 구하신다는 말입니까?"

예수님이 말씀하셨어요. "이 물을 마시는 사람마다 다시 목마를 것이다. 그러나 내가 주는 물을 마시는 사람은 영원히 목마르지 않을 것이다. 내가 주는 물은 그 사람 안에서 계속 솟아올라 영생에 이르게 하는 샘물이 될 것이다."

여인은 "선생님, 제게 그 물을 주십시오. 제가 목 마르지도 않고 다시는 물을 길으러 여기까지 나오지 않게 해 주십시오"라고 말했어요.

여인은 어쩌면 이분이라면 무언가를 설명해 줄 수 있을지도 모른다고 생각했어요. "우리 조상 사마리아인들은 이 산에서 예배를 드렸는데 당신네 유대 사람들은 '예배는 예루살렘에서만 드려야 한다'라고 말합니다."

그러자 예수님은 "이제 이 산도 아니고 예루살렘도 아닌 곳에서 참되게 예배하는 사람들이 영과 진리로 아버지께 예배드릴 때가 오는데 지금이 바로 그때다"라고 말씀하셨어요.

사마리아 여인이 말했어요. "저는 그리스도라고 하는 메시아가 오실 것을 압니다. 그가 오시면 우리에게 모든 것을 알려 주실 것입니다."

그때 예수님이 말씀하셨어요. "너에게 말하고 있는 내가 바로 그 메시아다."

사마리아 여인은 마을로 돌아가 사람들에게 말했어요. "내가 과거에 한 일을 모두 말해 준 분이 계십니다. 와서 보십시오. 이분이 그리스도가 아니겠습니까?"

많은 사마리아인이 예수님께 그들과 함께 머물러 달라고 부탁했어요. 예수님은 이틀 동안 그곳에 머무르셨어요. 더 많은 사람이 예수님의 말씀을 듣고 믿게 되었어요. 사람들이 사마리아 여인에게 말했어요. "이제 우리가 믿는 것은 당신의 말 때문이 아니오. 우리가 그 말씀을 직접 듣고 보니 이분이 참으로 세상의 구주이심을 알게 되었소."

●● 가스펠 링크

예수님은 사마리아 여인에게 누구도 줄 수 없는 생명의 물을 주셨어요. 예수님은 육체적으로 마실 수 있는 물이 아니라, 영적인 목마름을 채워 줄 성령님에 관해 말씀하셨어요. 성령님은 믿음으로 예수님께 나아오는 모든 사람에게 임하세요.

가스펠 준비

10~20분

*는 선택 활동입니다.

환영

도착하는 아이들을 반갑게 맞이하고 헌금, 출석, QT 등을 확인하며 격려한다. 새 친구가 있다면 소개한다. 편안한 분위기에서 안부를 물으며 오늘의 말씀과 관련된 화제로 이야기를 나눈다. 다른 아이들과 어울리지 못하고 혼자였던 경험이 있는지 물어본다. 그때 기분이 어땠는지, 어떻게 반응했는지 물어본다. 자발적으로 대화에 참여하도록 이끈다.

예) "다른 아이들과 어울리지 못하고 혼자였던 적이 있나요?", "그때 기분이 어땠나요?" 등.

— 우리는 때때로 다른 사람들과 어울리지 못한다고 느낄 때가 있어요. 다른 사람들이 나 없이 즐거워하고 재미있게 지내는 것을 보면 슬프거나 화가 나거나 질투를 느끼기도 할 거예요. 오늘 성경 이야기에서 예수님은 다른 사람들과 어울리지 못해 혼자라고 느끼는 누군가에게 다가가 말씀하셨어요. 무슨 말씀을 하셨을까요?

마음 열기

크래커 도전 *

[준비물] 크래커, 물

① 아이들에게 크래커를 3개씩 나누어 준다.

② 크래커를 모두 먹고 먼저 휘파람을 부는 아이가 이긴다고 말해 준다.

③ 아이들이 목이 메지 않도록 물을 가까이에 준비해 둔다.

— 재미있는 놀이였지요? 좀 엉망이 되긴 했지만요! 크래커가 입안의 수분을 모두 흡수했기 때문에 휘파람을 불기가 어려웠어요. 정말로 목이 마를 때는 물을 마시는 것이 가장 좋아요. 오늘 우리는 한 번 마시면 영원히 목마르지 않는 어떤 물에 관해 배울 거예요! 이 물은 어떤 물일까요? 우리가 마시는 보통의 물과 비슷한 물일까요? 아니면 보다 특별한 물일까요? 함께 알아보아요!

무엇을 마실까? *

[준비물] 색인 카드, 사인펜

① 색인 카드에 아래의 상황을 적어 둔다.

예) · 더운 날에는 콜라와 아이스티 중에 어떤 음료를 마실까요?

· 추운 날에는 뜨거운 코코아와 시원한 사과 주스 중에서 무엇을 마실까요?

② 아이들에게 카드에 적힌 상황을 하나씩 읽어 주고, 각 상황에서 어느 것을 마실지 물어본다.

— 여러분이 가장 좋아하는 음료는 무엇인가요? 그것이 무엇이든 여러분의 목마름을 영원히 해결해 주지는 못할 거예요. 만일 한 번만 마시면 다시는 목마르지 않는 음료가 있다면 어떨까요?

교사를 위한 기록장 이 과를 준비하면서 깨닫게 된 묵상을 정리해 보세요.

· 하나님이나 나에 대해 새롭게 알게 된 것은?

· 기억하고 싶은 하나님의 약속은?

· 아이들에게 전하고 싶은 메시지는?

가스펠 설교

15~30분

들어가기

[준비물] 교통안전 조끼, 생수병

밝은 색의 교통안전 조끼를 착용하고 들어온다. 손에는 작은 생수병을 들고 있다.

여러분 모두 환영해요! 축제 중이라 사람들도 많고 정말 기분이 좋네요. 그런데 어제는 정말 무서운 일이 일어났어요. 축제에 참석한 사람 중 한 명이 쓰러졌거든요! 정말 걱정스러웠지만, 시원한 물을 마시며 그늘에서 쉬고 나니 괜찮아졌어요. 생수병을 들어 올린다. 그래서 다시는 이런 일이 일어나지 않도록 생수를 사서 필요한 사람들에게 나누어 주었답니다. 물은 우리가 당연하게 생각하는 것 중 하나예요. 물이 부족한 경우가 아니라면 평소에는 물의 중요성을 잘 깨닫지 못하지요. 이것은 오늘의 성경 이야기와도 관련이 있어요. 어떤 이야기일까요? 오늘 성경 이야기에서 한 번 마시면 다시는 목마르지 않는 물에 관해 이야기할 것이에요. 과연 그런 물이 정말 있을까요?

연대표

니고데모가 예수님을 찾아왔어요

세례 요한이 예수님에 관해 말했어요

예수님이 사마리아 여인을 만나셨어요

예수님이 고향에서 거절당하셨어요

2주 전에 우리는 **예수님은 니고데모에게 그가 다시 태어나야 한다고 말씀하셨다**는 것을 배웠어요. 지난주에는 **예수님은 하늘에서 이 땅으로 오셨다**는 것에 관해 배웠지요. 두 가지 이야기에서 모두 예수님이 자신을 메시아라고 밝히신 것을 배웠어요. 이번 주에는 예수님이 사람들과 어울리지 못하는 한 여인을 만나신 이야기를 들을 거예요. 그 여인은 사마리아 지역 출신이었어요. 당시 대부분의 유대인은 사마리아 사람들을 매우 싫어했어요. 유대인이었던 예수님이 그 여인을 어떻게 대하셨는지, 그리고 무슨 말씀을 하셨는지 배우게 될 거예요. 연대표에서 오늘의 성경 이야기를 가리킨다. 오늘의 성경 이야기는 "예수님이 사마리아 여인을 만나셨어요"랍니다.

성경의 초점

우리는 성경을 통해 예수님에 대해 알 수 있어요. 성경 이야기를 듣기 전에 2단원 '성경의 초점'의 질문과 답을 말해 볼까요? **예수님은 자신이 누구라고 하셨나요? 예수님은 자신이 메시아라고 말씀하셨어요.**

성경 이야기

DVD 요한복음 4장 1~42절을 펴고, 설교 영상(지도자용 팩)을 보여 주거나 이야기 성경을 들려준다. 우물가의 의자, 양동이 등의 소도구를 사용해 이야기 장면을 만든다. 예수님과 사마리아 여인의 얼굴 팻말을 준비해 각 등장인물에 따라 얼굴 팻말을 바꾸며 설교를 한다.

왜 유대인들은 사마리아인을 싫어했을까요? 그 이유는 유대인들이 바벨론에서 포로 생활을 할 때, 사마리아 지역에 남아 있던 하나님의 백성 중 일부가 다른 신을 경배하는 사람들과 지내며 율법을 어겼어요. 그런 이유로 유대인들은 자신들이 사마리아인보다 낫다고 생각했어요. 그러나 예수님은 사마리아 여인을 그렇게 대하지 않으셨어요. 예수님은 이 여인을 사랑하셨고 친절하게 대하셨어요. 그리고 생명의 물에 관해 이야기하셨어요.

처음에 사마리아 여인은 예수님이 단순히 목마를 때 마시는 물에 관해 이야기한다고 생각했어요. 하지만 예수님은 그냥 물이 아닌 영원한 생수, 바로 성령님에 관해 말씀하셨어요. 사마리아 여인은 예수님과 대화를 나누면서 예수님이 평범한 사람이 아니라는 사실을 알게 되었어요. 예수님은 여인이 아무에게도 말하지 않은 사실들을 알고 계셨어요. 사마리아 여인은 예수님이 선지자라고 생각했어요. **예수님은 사마**

리아 여인에게 자신이 메시아라고 말씀하셨어요. 여인은 놀라서 동네 사람들을 모아 예수님께 데려왔어요!
우물가의 여인은 죄인이며 사마리아인이었지만 예수님은 그녀가 예수님의 말을 믿을 때 성령님을 받게 될 것이라고 약속하셨어요. 성령님은 예수님께 나아오는 모든 사람에게 임하세요. 성령님은 솟아오르고 넘쳐나는 물과 같아요. 성령님은 생명을 주시고, 하나님께 가까이 가고자 하는 우리의 소망을 채워 주세요.

가스펠 링크

우리는 모두 죄 가운데서 태어났어요. 우리는 모두 영적으로 죽어 있고, 우리의 내면은 텅 비어 있어요. 감사하게도 예수님은 사마리아 여인에게 주신 것처럼 우리에게도 성령님, 즉 생명의 물을 주세요.
예수님은 자신이 메시아라고 말씀하셨어요. 예수님은 우리의 죄를 지시고 우리 대신 죽으셨어요. 그리고 3일째 되는 날 하나님은 죽은 자 가운데서 예수님을 살리시며 모든 사람에게 하나님의 능력을 보이셨어요. 죄는 패배했고, 죽음은 예수님을 믿는 사람들 가운데서 그 힘을 잃었어요.
하나님은 우리에게 성령님을 보내 주셨어요. 예수님을 믿으면 성령님이 우리에게 임하세요. 성령님은 우리가 하나님을 사랑하고 말씀에 순종하도록 도와주세요. 그리고 우리가 죄의 유혹을 이기고 하나님께 영광을 돌릴 수 있도록 힘을 주세요.

복음 초청

성경과 85쪽 복음 초청 가이드를 이용해서 아이들에게 그리스도인이 되는 법을 설명해 준다. 따로 상담해 줄 사람을 정해 주고 궁금한 점이 있으면 물어보도록 격려한다.
이 시간 예수님을 마음에 모시고 싶은 친구는 함께 기도해요.

기도

하나님, 우리를 죄에서 구원하신 하나님을 찬양합니다. 말씀을 통해 예수님만이 생명에 이르는 길이라는 사실을 배웠습니다. 영원한 생명이신 예수님, 우리가 먼저 이 기쁜 소식을 마음껏 누릴 수 있도록 함께해 주세요. 그래서 이 복음을 많은 사람들에게 전할 수 있도록 도와주세요. 예수님의 이름으로 기도합니다. 아멘.

적용

TIP 설교 도입이나 적용으로 활용하거나 영상을 본 뒤 소그룹으로 나누어 풍성한 대화를 이어 갈 수 있습니다.

다른 사람들이 정말 좋아할 만한 것을 가진 적이 있나요? 그것을 다른 사람과 함께 사용했나요? 아니면 혼자 사용했나요? 오늘의 영상을 보면서 생각해 보세요.
DVD 적용 예화 영상(지도자용 팩)을 보여 준다.
영상에 나온 아이들이 얼마나 목이 말랐을지 아이들과 함께 이야기를 나눈다. 만약 그와 같은 상황에 있다면 마실 것을 나누어 주었을지 물어본다. 어려움을 겪는 누군가에게 무언가를 나눌 수 있는 기회에 관해 아이들과 이야기한다.
예수님을 알지 못하는 사람들은 예수님이 필요하지만, 예수님이 필요하다는 사실을 모를 수도 있어요. 하지만 우리는 모두 죄인이고 예수님이 필요해요. 예수님만이 생명에 이르는 길이기 때문이에요! 이 복된 소식을 다른 사람들에게 전해야 해요. 하지만 복음을 전하는 것이 어려울 수 있어요. 그때 성령님의 도움을 구해야 해요. 예수님을 믿으면 성령님이 우리에게 임하세요. 그리고 성령님은 우리에게 하나님의 일을 할 수 있는 힘을 주세요.

가스펠 소그룹

10~20분

나침반

짝을 맞추어라

[준비물] 2단원 암송(111쪽), 색인 카드, 사인펜

① 2단원 암송 구절을 어절 단위로 나누어 색인 카드에 각각 적어 2세트를 만든다.

② 카드를 뒤집어서 예배실 바닥에 격자무늬로 늘어놓는다.

③ 아이들에게 한 명씩 차례대로 나와 카드를 뒤집어 같은 카드를 찾으라고 한다.

④ 모든 카드의 짝을 찾으면 카드를 순서대로 배열하게 하고, 암송 구절을 함께 읽는다.

TIP 놀이를 조금 어렵게 진행하려면, 아이들이 암송 구절의 순서대로 카드를 찾게 한다.

— 2단원 암송 구절은 매우 유명한 구절이에요. 예수님은 십자가에서 죽으시기 전에 제자들에게 이 말씀을 하셨어요. 이 말씀은 예수님이 하나님과 함께할 수 있도록 생명을 주시는 유일한 분이라는 사실을 기억하게 해요. 예수님이 잡히셨을 때 제자들은 두려움과 혼란을 느꼈어요. 예수님은 제자들이 두려워하는 순간에도 예수님이 메시아이심을 기억하기 원하셨어요. 지금도 마찬가지예요. 예수님은 우리의 메시아이시며 하나님과 함께할 수 있는 유일한 길이에요.

보물 지도

가스펠 프로젝트

[준비물] 학생용 교재 54쪽, 79쪽, 연필이나 색연필, 공깃돌

① 빈칸에 '가스펠 프로젝트'(하나님의 구원 계획)의 제목들을 적어 보라고 한다.

② 79쪽의 가스펠 프로젝트 마크를 오려 게임 말로 사용하게 한다.

③ 2명씩 짝을 짓고, 가위바위보를 해서 시작 순서를 정하게 한다.

④ 공기놀이를 하며 '꺾기'에서 잡은 공깃돌의 수만큼 말을 이동하게 한다.

⑤ '다시 오실 그리스도'에 먼저 도착하는 아이가 이긴다.

— **예수님은** 사마리아 여인에게 **자신이 메시아라고 말씀하셨어요.** 예수님께 나아가는 사람들은 영원히 목마르지 않을 거예요. 이번 한 주간 여러분의 친구에게 생명의 물을 주시는 예수님을 소개해 보세요.

탐험하기

사마리아 여인에게

[준비물] 학생용 교재 55쪽, 연필이나 색연필

① 아이들에게 각 그림의 숫자와 한글 자모음을 순서대로 연결해 그림을 완성해 보라고 한다.

② 빈칸에 알맞은 단어를 넣어 사마리아 여인과 예수님의 대화를 완성하게 한다.

③ 예수님을 만난 사마리아 여인의 기분은 어땠을지, 만약 나였다면 예수님께 물을 드렸을지 다양한 상상을 해 보도록 질문한다.

— **예수님은 사마리아 여인에게 자신이 메시아라고 말씀하셨어요.** 사마리아 여인에게는 목마름을 없애 주는 물보다 하나님과의 관계가 더 필요했어요. 예수님만이 우리가 하나님과 다시 만날 수 있는 길을 열어 주실 수 있어요. 사마리아 여인은 마을에 있는 사람들에게 예수님을 전했어요. 몇몇 사람들이 그 말을 듣고 예수님을 믿었어요. 예수님이 그들과 함께 머무시는 동안 많은 사람이 예수님을 믿게 되었어요.

예수님의 말씀을 듣고 예수님이 누구신지 알게 되었기 때문이에요.
우리도 다른 사람들에게 예수님을 전할 수 있어요. 예수님을 전하는 가장 좋은 방법은 예수님의 말씀이 기록된 성경을 보여 주는 것이에요. **예수님은 자신이 누구라고 하셨나요? 예수님은 자신이 메시아라고 말씀하셨어요.**

우물 프로젝트 *

[준비물] 500mL 생수, 요한복음 14장 6절이 적혀 있는 라벨

① 우물 파기 기금을 마련하는 행사를 계획한다.
② 라벨에 요한복음 14장 6절을 출력해 생수에 붙여 둔다.
③ 행사에서 라벨을 붙인 생수를 판매해 모금한다.
④ 마련한 기금을 우물 파기 사업을 하는 단체나 선교사에게 전달한다.

— **예수님은 사마리아 여인에게 자신이 메시아라고 말씀하셨어요.** 예수님은 사마리아 여인에게 성령님을 상징하는 생명의 물을 주셨어요. 안타깝게도 어떤 지역의 사람들은 깨끗한 물을 마실 수 없어요. 생명의 물에 관한 예수님의 말씀을 듣기는 더욱 어렵지요. 선교사님들은 깨끗한 물이 필요한 사람들을 위해 우물을 만들기도 해요. 우물 만드는 일을 통해 그리스도인들이 예수님을 필요로 하는 사람들을 만나 함께 이야기를 나눌 기회를 만들기도 하지요. 그러면 그 사람들은 마시는 물과 생명의 물을 모두 갖게 된답니다!

다 잡아 봐라 *

① 술래를 한 명 뽑고, 아이들에게 잡기 놀이를 한다고 말해 준다.
② 술래가 다른 아이를 잡으면, 잡힌 아이가 술래가 되어 다른 아이들을 잡아야 한다고 말해 준다.
③ 인도자의 신호에 따라 몇 분간 술래잡기를 한다.
④ 이번에는 술래에게 잡힌 사람은 모두 술래가 되어 다른 아이를 잡을 수 있다고 설명해 준다.
⑤ 모든 아이가 술래가 되면 놀이를 끝낸다.

— 처음에는 술래가 다른 사람을 잡으면 술래가 바뀌었어요. 그다음 규칙을 바꾸자 술래가 다른 사람을 잡을 때마다 술래가 점점 늘어났어요. 친구들을 잡는 속도도 아주 빨라졌지요!
이것은 마치 우리가 복음을 전하는 것과 같아요. 혼자서 한 사람에게 복음을 나누는 것보다 여러 사람과 함께 복음을 나눌 때 복음은 더 빨리 전해질 수 있어요. 오늘의 성경 이야기에서 사마리아 여인은 마을 사람들에게 예수님을 전했고 그들은 모두 예수님을 믿게 되었어요. 이번 주에 예수님을 전할 사람은 누가 있을까요?

보물 상자

나만의 기록장

[준비물] 학생용 교재 56쪽, 연필이나 색연필

① 필요하다고 생각했던 것과 실제 필요한 것이 달랐던 경험이 있는지 물어보고 그림이나 글로 표현해 보라고 한다.
② 예를 들어, 붕대가 필요하다고 생각했는데 상처가 심해서 꿰매야 했다거나, 과자를 먹으려 했는데 사실은 과자보다 건강한 식사가 필요했던 일 등 다양한 예를 통해 이해를 돕는다.

— 때때로 무엇이 필요하다고 생각하지만, 사실 정말 필요한 것은 다른 것일 때가 있어요. 만약 여러분이 배도 고프고 몸도 아프다면, 여러분에게 음식도 필요하지만 그보다는 몸을 낫게 하는 약이 더 필요해요. 예수님을 모르는 사람들은 자신이 필요한 것들을 이미 가지고 있다고 생각하지만, 사실 그들에게는 무엇보다도 예수님이 필요해요. 그 사람들을 어떻게 도와줄 수 있을까요?

메시지 카드

이번 주 메시지 카드로 부모님과 함께 오늘 배운 성경 이야기를 나누어 보라고 한다.

기도

하나님, 예수님을 이 땅에 보내 주시고 우리를 죄에서 구원해 주시니 감사합니다. 하나님께 가는 유일한 길은 예수님밖에 없습니다. 우리 안에 영원히 목마르지 않는 생명의 물, 성령님이 가득하게 해 주세요. 그래서 우리를 죄에서 구원하신 예수님을 많은 사람에게 전할 수 있도록 함께해 주세요. 예수님의 이름으로 기도합니다. 아멘.

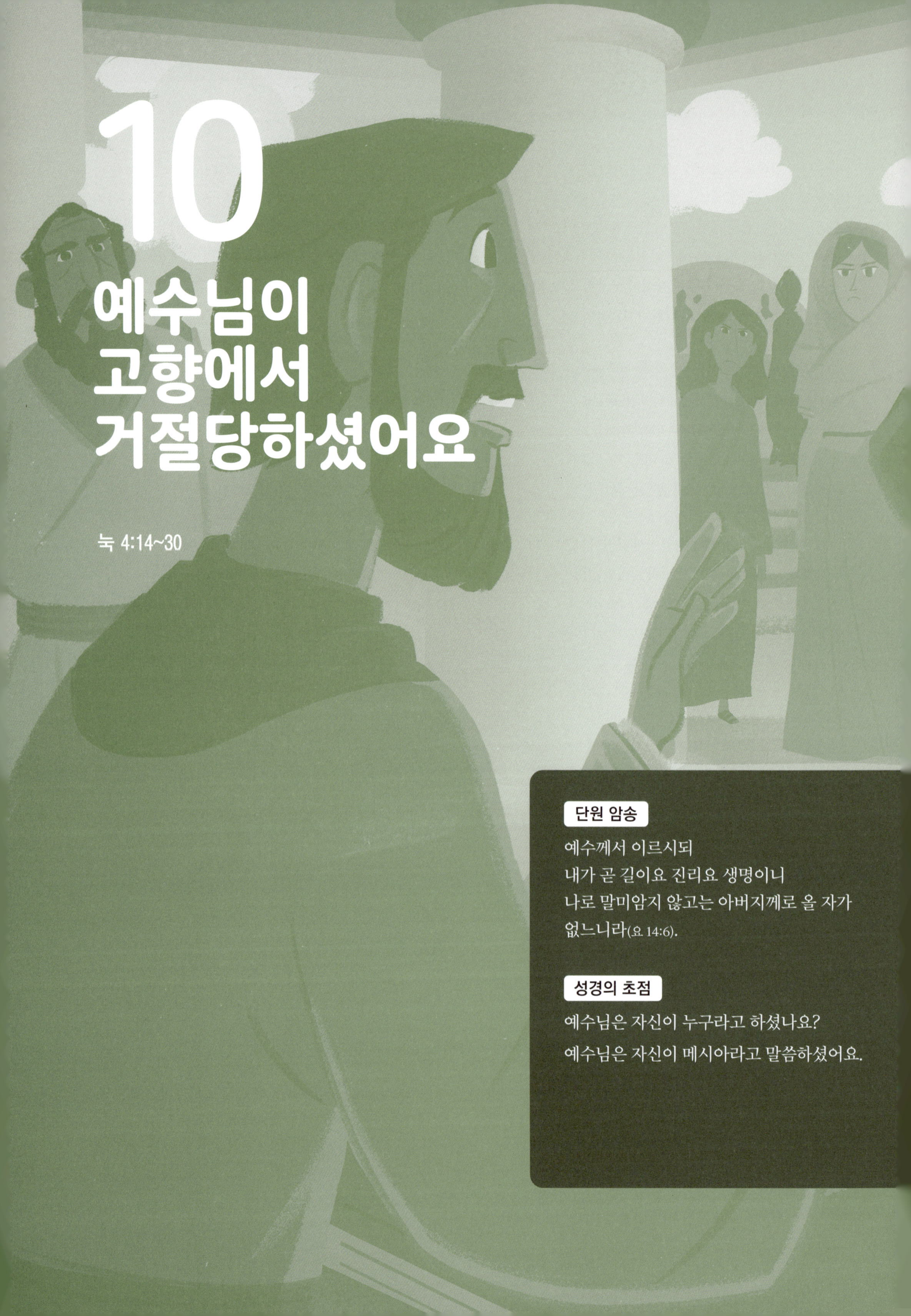

10

예수님이 고향에서 거절당하셨어요

눅 4:14~30

단원 암송

예수께서 이르시되
내가 곧 길이요 진리요 생명이니
나로 말미암지 않고는 아버지께로 올 자가
없느니라(요 14:6).

성경의 초점

예수님은 자신이 누구라고 하셨나요?

예수님은 자신이 메시아라고 말씀하셨어요.

본문 속으로

예수님은 서른 살 즈음에 사역을 시작하셨습니다. 예수님은 요단강에서 세례 요한에게 세례를 받으신 후 광야에서 시험을 받으셨습니다. 그리고 유월절을 지키기 위해 예루살렘으로 가셨다가 북쪽 갈릴리로 향하셨습니다. 이때 예수님은 사마리아 지역을 지나가셨는데, 도중에 야곱의 우물에 멈추어 사마리아 여인과 대화를 나누셨습니다.

갈릴리로 돌아가신 예수님은 여러 회당에서 가르치기 시작하셨습니다. 그 후 나사렛으로 가셨는데, 나사렛은 갈릴리 호수와 지중해 사이의 언덕에 있는 작은 마을로 예수님이 자라나신 곳입니다.

예수님은 안식일에 회당에 들어가 이사야 선지자의 글을 읽으시고 자리에 앉으셨습니다(사 61:1~2 참조). 예수님이 말씀을 읽으시니 사람들의 눈이 그분께 향했습니다. 예수님이 말씀하셨습니다. "이 글이 오늘 너희 귀에 응하였느니라"(눅 4:21). 예수님의 말씀은 무슨 뜻인가요? 방금 읽은 이사야의 글이 바로 자신에 관한 이야기라고 말씀하신 것입니다. 어떤 사람들은 예수님을 어린 시절부터 알았고 그 모습을 기억하고 있었을 것입니다. 그들은 "이 사람이 요셉의 아들이 아니냐"라고 서로 말했습니다.

예수님은 사람들의 생각을 알고 계셨습니다. 예수님이 가버나움에서 행하신 기적을 예수님의 고향인 갈릴리에서도 행하라고 말할 것을 아셨습니다. 예수님은 사람들에게 구약성경에 나오는 두 가지 이야기를 상기시키셨습니다. 엘리야 선지자 당시 이스라엘에 많은 과부가 있었음에도 하나님이 엘리야를 다른 나라에 보내 한 과부를 돕게 하셨던 일과 엘리사 선지자가 한센병을 앓는 많은 이스라엘 사람을 두고 시리아 사람 나아만의 한센병을 고친 일이었습니다.

예수님은 그분의 기적이 은혜로 주신 것, 즉 선물이라는 사실을 사람들이 이해하기 원하셨습니다. 누구도 하나님의 은혜를 받을 자격이 없기 때문에, 하나님의 은혜는 하나님이 기뻐하시는 사람이라면 심지어 이방인에게도 베풀어질 수 있었던 것입니다. 예수님의 말씀을 들은 사람들은 화가 나서 예수님을 동네 밖으로 쫓아내 죽이려 했지만, 예수님은 군중 가운데를 지나 떠나셨습니다.

●● 티칭 포인트

이 성경 이야기를 가르칠 때 예수님이 눈먼 자들을 보게 하고 포로 된 자들을 풀어 주기 위해 오셨다는 것을 설명해 주십시오. 예수님은 모든 민족에게 복음을 전파하기 위해 오셨습니다. 마침내 메시아가 온 것입니다! 예수님은 죄인을 구원하시려는 하나님의 계획이셨습니다.

주 제

예수님은 성경이 자신에 대해 기록하고 있다고 말씀하셨어요.

가스펠 링크

예수님은 이사야의 글을 읽으시고, 듣고 있던 모든 사람에게 자신이 바로 그 메시아라고 말씀하셨어요.

예수님이 고향에서 거절당하셨어요 눅 4:14~30

예수님이 고향인 나사렛으로 가셨어요. 안식일이 되자 늘 하시던 대로 회당에 들어가셨지요.

안식일은 거룩한 날이었어요. 유대인들은 안식일에 회당에 모여 하나님을 예배했어요. 회당은 유대인들이 모여 기도하고, 예배하고, 성경을 배우는 특별한 곳이었어요.

예수님은 성경을 읽기 위해 일어나셨어요. 그리고 이사야 선지자의 글을 읽으셨어요. "주의 성령이 내게 임하셨으니 이는 가난한 자에게 복음을 전하게 하시려고 내게 기름을 부으시고 나를 보내사 포로된 자에게 자유를, 눈먼 자에게 다시 보게 함을 전파하며 눌린 자를 자유롭게 하고 주의 은혜의 해를 전파하게 하려 하심이라." 예수님은 글을 읽으신 후 자리에 앉으셨어요.

회당에 있던 모든 사람이 예수님을 주목했어요. 예수님이 말씀하셨어요. "오늘 이 말씀이 너희가 듣는 이 자리에서 이루어졌다."

사람들은 예수님이 하시는 은혜로운 말씀에 놀랐어요. 그러나 나사렛에 사는 어떤 사람들은 예수님을 어렸을 때부터 알고 있었어요. 그들은 "이 사람이 요셉의 아들이 아닌가?"라고 말했어요.

예수님은 평범한 사람이 아니셨어요. 요셉은 예수님을 자기 아들로 키웠지만, 예수님의 진정한 아버지는 하나님이세요.

예수님이 그들에게 말씀하셨어요. "너희는 틀림없이 '의사야, 네 병이나 고쳐라'라는 속담을 말하며 '우리가 들은 소문대로 당신이 가버나움에서 했다는 모든 일을 여기 당신의 고향에서도 해 보시오'라고 할 것이다."

또 예수님은 이렇게 말씀하셨어요. "어떤 예언자도 자기 고향에서는 인정받지 못한다." 예수님은 사람들에게 선지자 엘리야와 엘리사를 떠올리게 하셨어요. 이스라엘에 엄청난 가뭄이 들어 3년 반 동안 비가 내리지 않았을 때, 이스라엘에는 도움이 필요한 과부들이 많았어요. 그러나 하나님은 엘리야가 이스라엘의 과부들을 돕는 대신 다른 나라에 있는 과부를 돕도록 보내셨어요.

엘리사가 선지자였을 때, 이스라엘에는 한센병에 걸린 사람들이 많았어요. 그들은 병이 낫기를 원했지만 엘리사는 그들을 고치지 않았어요. 대신 나아만이라는 사람의 한센병을 고쳤어요. 나아만은 하나님의 백성이 미워하는 시리아 사람이었어요.

회당에서 예수님의 말씀을 들은 사람들은 화가 났어요. 그들은 예수님을 마을 밖으로 내쫓았어요. 낭떠러지에서 예수님을 밀쳐 떨어뜨리려고 했지요. 하지만 예수님은 사람들 한가운데를 지나 떠나가셨어요.

●● 가스펠 링크

이사야 선지자는 메시아를 보내겠다는 하나님의 계획을 예수님이 태어나시기 수백 년 전에 기록했어요. 메시아는 좋은 소식을 전하고, 깨지고 상한 사람들을 구원할 거예요. 예수님은 이사야의 글을 읽으시고, 듣고 있던 모든 사람에게 자신이 바로 그 메시아라고 말씀하셨어요.

가스펠 준비

10~20분

*는 선택 활동입니다.

환영

도착하는 아이들을 반갑게 맞이하고 헌금, 출석, QT 등을 확인하며 격려한다. 새 친구가 있다면 소개한다. 편안한 분위기에서 안부를 물으며 오늘의 말씀과 관련된 화제로 이야기를 나눈다. 동네에서 가장 좋아하는 곳이 어디인지 물어본다. 그곳이 왜 좋은지 물어본다. 자발적으로 대화에 참여하도록 이끈다.

예) "동네에서 가장 좋아하는 곳이 있나요?", "어릴 때 자란 동네에서 기억에 남는 장소가 있나요?", "그곳이 왜 좋은가요?" 등.

— 시간이 지나 어른이 되었을 때 여러분이 어린 시절을 보내고 있는 장소를 어떻게 기억하게 될까요? 오늘 우리는 성경 이야기에서 예수님이 고향에 가신 이야기를 듣게 될 거예요. 무슨 일이 일어날까요?

마음 열기

내가 살던 고향은 *

① 아이들에게 한 사람씩 돌아가면서 자신이 태어난 고향이 어디인지, 그리고 고향에서 있었던 가장 즐거운 기억은 무엇인지 나누게 한다.

② 고향은 사람들에게 어떤 느낌을 주는 장소인지 한 단어 또는 한 문장으로 표현해 보라고 한다.

— 사람이 태어나서 어린 시절을 보낸 곳을 고향이라고 해요. 보통 고향을 떠올리면 따뜻하고 즐거운 기억들이 가득하지요. 그런데 예수님은 자신의 고향에서 미움을 받고 쫓겨나셨어요. 도대체 무슨 일이 있었던 것일까요? 오늘 성경 이야기를 통해 함께 살펴보아요.

어떤 기분일까? *

[준비물] 색인 카드, 사인펜

① 색인 카드에 다양한 감정을 각각 써 둔다.

예) 미움, 사랑, 슬픔, 후회, 억울함, 놀라움, 공포, 당황, 기대, 기쁨, 웃음 등.

② 카드를 섞은 후, 아이들에게 카드를 한 장씩 고르라고 한다.

③ 한 사람씩 자신이 고른 종이에 적힌 감정을 표정과 몸짓으로 표현하게 한다.

④ 나머지 아이들은 무슨 감정인지 맞혀 보라고 한다.

— 우리는 감정을 항상 조절할 수 있지는 않아요. 우리의 표정은 어떤 감정을 느끼고 있는지 나타내요. 오늘 성경 이야기에서는 예수님이 자신이 누구인지 말씀하셨을 때, 고향 사람들이 어떻게 반응했는지에 대해 배울 거예요. 여러분은 어떻게 생각하나요?

교사를 위한 기록장 이 과를 준비하면서 깨닫게 된 묵상을 정리해 보세요.

· 하나님이나 나에 대해 새롭게 알게 된 것은?

· 기억하고 싶은 하나님의 약속은?

· 아이들에게 전하고 싶은 메시지는?

가스펠 설교

15~30분

들어가기

[준비물] 교통안전 조끼

밝은 색의 교통안전 조끼를 착용하고 들어온다.

안녕하세요, 여러분! 다시 오신 여러분을 환영해요! 여러분을 또 만나서 정말 기뻐요. 저는 거리 축제를 잘 운영하려고 노력했어요. 많은 사람이 이곳에 와서 예수님에 관해 물었어요. 대부분은 이야기가 아주 잘 진행되었지요. 예수님이 자신에 관해 말씀하신 것을 성경에서 찾아 사람들에게 보여 주었어요. 약 30명의 사람이 예수님에 대해 더 알고 싶어 했고, 6명은 예수님을 믿고 구원을 받았어요! 할렐루야! 하지만 안타깝게도 많은 사람이 우리가 전하는 좋은 소식을 믿지 않았어요. 어떤 사람들은 예수님을 전할 때 우리에게 화를 냈어요. 사람들이 진리의 말씀을 듣고 어떻게 반응할지 알 수 없어서, 우리는 하나님이 그들의 마음을 바꾸어 주시기를 기도했지요. 한편으로는 속상했지만, 예수님조차 그런 경험을 하셨다는 사실을 기억하려고 해요. 사실 이것은 우리의 이야기이기도 해요. 우리도 그들처럼 진리에 대해 차가운 반응을 보였을 수도 있어요.

연대표

니고데모가 예수님을 찾아왔어요

세례 요한이 예수님에 관해 말했어요

예수님이 사마리아 여인을 만나셨어요

예수님이 고향에서 거절당하셨어요

예수님은 유대 지방에서 갈릴리로 가셨어요. 지난주에 우리는 예수님이 여행 도중에 사마리아 여인을 만나신 것을 배웠어요. 이제 예수님은 어린 시절을 보낸 나사렛에 도착하셨어요. 연대표에서 오늘의 성경 이야기를 가리킨다. 오늘의 성경 이야기는 "예수님이 고향에서 거절당하셨어요"예요. 이런! 거절당하다니요? 그다지 좋은 얘기인 것 같지는 않은데요. 무슨 일이 일어났는지 함께 알아보아요.

성경의 초점

예수님은 성경을 통해 자신이 누구인지 말씀하셨어요. 성경 말씀이 무엇을 말하는지 사람들에게 설명하셨어요. 2단원 '성경의 초점'의 질문을 기억하나요? **예수님은 자신이 누구라고 하셨나요? 예수님은 자신이 메시아라고 말씀하셨어요.** 오늘의 성경 이야기에서 예수님이 어떻게 자신을 나타내셨는지 함께 알아보아요.

성경 이야기

DVD 누가복음 4장 14~30절을 펴고, 설교 영상(지도자용 팩)을 보여 주거나 이야기 성경을 들려준다. 아이들이 이야기 성경 속 군중이 되어 보게 한다 예수님을 보고 환호하며 놀라는 모습과 화가 나 야유를 보내는 모습을 묘사하게 한다. 반대로 교사들이 군중 역할을 하고, 아이들에게 예수님 역할을 하게 한다. 한 명씩 예수님이 되어 군중들 사이를 빠져나오며 당시 예수님은 어떤 기분이었을지 이야기를 나누어 본다.

예수님은 베들레헴에서 태어나셨지만 마리아와 요셉이 원래 살던 곳은 나사렛이었어요. 예수님도 나사렛에서 자라셨지요.

제자들과 나사렛에 가신 예수님은 안식일이 되자 회당으로 올라가셨어요. **예수님은** 이사야의 글을 읽으시고, 듣고 있던 모든 사람에게 **자신이** 바로 그 **메시아라고 말씀하셨어요.** 그리고 말씀이 무엇을 의미하는지 사람들에게 설명하셨지요! **예수님은 성경이 예수님 자신에 대해 기록하고 있다고 말씀하셨어요.**

구약성경은 하나님의 구원 계획의 첫 번째 부분이에요. 우리가 그동안 배운 내용이지요. 예수님은 하나님이 약속하신 대로 마침내 이 땅에 오셨고, 자신의 역할은 사람들을 죄에서 자유롭게 하는 것이라고 설명하셨어요.

많은 사람이 예수님의 말씀을 듣고 놀랐어요. 하지만 그들은 예수님을 특별하게 생각하지 않았어요. 그들은 예수님이 행하시는 기적을 보고 싶어 했어요! 기적을 보면 예수님을 믿을 수 있겠다고 생각한 것이지요. 그러나 예수님은 기적이 사람들에게 쇼처럼 보여 주는 것이 아니라는 것을 아셨어요. 그래서 그들 앞에서 기적을 행하는 것을 거절하셨어요. 그리고 예수님이 선지자 엘리야와 엘리사가 유대인뿐만 아니라 이방인도 도왔다는 것을 말씀하시자 사람들은 화가 났어요. 예수님은 하나님의 능력과 사랑은 선택된 백성만을 위한 것이 아니라 온 세상을 위한 것이라고 말씀하셨어요. 그러나 유대인들은 자신들만 축복을 받아야 한다고 생각했어요. 예수님의 말씀을 듣고 화가 난 사람들은 예수님을 낭떠러지에서 밀쳐 떨어뜨리려 했어요. 그러나 예수님은 그들 한가운데로 지나 그 자리를 떠나셨어요.

가스펠 링크

결국, 예수님의 말씀을 거부한 사람들이 예수님을 죽음에 이르게 해요. 하나님의 때가 되면 예수님은 자신이 하나님의 아들이라고 말했다는 이유로 잡혀 십자가에 달려 죽으시게 되어요. 예수님은 사람들에게 그들이 죄인이기 때문에 의롭게 살 수 없다고 말씀하셨지만 사람들은 듣기 싫어했어요. 종교 지도자들은 자신들이 잘하고 있다고 믿고 싶었어요. 그들은 율법에 순종하면 하나님의 은혜를 얻을 수 있다고 생각했지요. 때로는 우리도 그들과 같은 생각을 해요. 그러나 우리는 율법을 통해 하나님의 은혜를 얻을 수 없기 때문에 예수님이 우리를 위해 죽으셨어요.

우리는 영적으로 죄 가운데 죽은 자들이며, 결코 자신을 구원할 수 없어요. 예수님은 이 땅에서 완벽한 삶을 사셨고 우리의 죗값을 치르기 위해 십자가에서 죽으셨어요. 예수님을 믿으면 생명의 길로 인도해 주시고, 우리에게 성령님을 보내 주셔서 우리가 하나님과 함께 살 수 있도록 해 주세요.

복음 초청

성경과 85쪽 복음 초청 가이드를 이용해서 아이들에게 그리스도인이 되는 법을 설명해 준다. 따로 상담해 줄 사람을 정해 주고 궁금한 점이 있으면 물어보도록 격려한다.

이 시간 예수님을 마음에 모시고 싶은 친구는 함께 기도해요.

기도

하나님, **예수님은 완전한 하나님이시며, 완전한 인간이십니다.** 우리를 죄에서 구원하기 위해 약속하신 메시아를 보내주셔서 감사합니다. 길이요, 진리요, 생명이신 예수님이 우리의 주님이신 것을 고백합니다. 예수님을 믿고, 예수님을 많은 사람들에게 전할 수 있도록 용기를 주세요. 예수님의 이름으로 기도합니다. 아멘.

적용

TIP 설교 도입이나 적용으로 활용하거나 영상을 본 뒤 소그룹으로 나누어 풍성한 대화를 이어 갈 수 있습니다.

예수님이 고향에서 거절당하셨다는 이야기를 듣고 놀랐나요? 혹시 가까운 사람들에게 거절당한 경험이 있나요? 그때 기분이 어땠나요? 오늘의 영상을 보면서 생각해 보세요.

DVD 적용 예화 영상(지도자용 팩)을 보여 준다.

거절당하면 어떤 느낌이 들고, 왜 상처가 되는지 아이들과 함께 이야기한다. 거절당해도 좋을 만한 가치 있는 일은 무엇이 있을지 이야기를 나눈다.

사람들은 여러 가지 이유를 들어 우리를 거절할 수 있어요. 예수님을 믿는다는 이유로 우리를 거절할지도 몰라요. 사람들이 예수님을 거절했던 것과 같은 이유로 말이에요. 그러나 하나님은 우리가 포기하지 않기를 바라세요! 사람들이 예수님을 사랑한다는 이유로 우리를 거절하더라도, 우리는 여전히 그 사람들을 위해 기도할 수 있어요.

예수님은 사람들에게 거절당하시고 십자가에서 죽으셨어요. 그래서 우리는 하나님께로 나아갈 수 있고, 하나님은 우리를 사랑으로 맞이해 주세요.

가스펠 소그룹

10~20분

나침반

간단히 외우는 동작

[준비물] 2단원 암송(111쪽)

① 아이들을 2팀으로 나누고, 각 팀에 암송 구절을 어절 단위로 나누어 각각 배정해 준다.

② 아이들에게 배정받은 암송 구절에 맞는 동작을 만들어 보라고 한다.

③ 각 팀에서 만든 동작을 서로에게 가르쳐 주게 한다.

④ 각 팀에서 만든 동작을 하면서 성경 구절을 함께 외운다.

— 2단원 암송 구절은 예수님만이 우리를 죄에서 구원하시고 영원히 하나님과 함께하게 하신다는 것을 기억하게 해 주어요. **예수님은 자신이 누구라고 하셨나요? 예수님은 자신이 메시아라고 말씀하셨어요.**

보물 지도

참일까? 거짓일까?

[준비물] 학생용 교재 60쪽, 연필이나 색연필, 성경

① 문장을 읽고 참인지 거짓인지 확인하고, 참인 것에 ○표 하게 한다.

② 어려워하는 아이가 있다면, 성경에서 누가복음 4장 16~30절을 찾아 참고하게 한다.

③ 아이들에게 거짓인 문장은 왜 거짓인지 물어본다.

예수님은 나사렛에서 자라셨어요. (눅 4:16)	(참)	거짓
예수님은 이사야 선지자의 글을 읽으셨어요. (눅 4:17)	(참)	거짓
예수님은 이사야 선지자의 예언이 절대로 이루어질 수 없다고 말씀하셨어요. (눅 4:21)	참	(거짓)
예수님은 선지자가 고향에서만 받아들여진다고 말씀하셨어요. (눅 4:24)	참	(거짓)
사람들은 예수님을 낭떠러지에서 밀쳐 떨어뜨리려고 했지만, 예수님은 사람들 한가운데를 지나서 떠나가셨어요. (눅 4:29~30)	(참)	거짓

— 문장이 참인지 거짓인지 잘 맞혔어요! 예수님은 고향인 나사렛에서 진리를 말씀하셨지만, 사람들에게 거절당하셨어요. **예수님은 성경이 자신에 대해 기록하고 있다고 말씀하셨어요.** 하지만 사람들은 예수님이 정말 진리를 말씀하는 것인지 확신하지 못했어요.

탐험하기

그곳에 있었다면

[준비물] 학생용 교재 61쪽, 연필이나 색연필

① 예수님의 이야기를 들은 사람들의 반응이 모두 같지는 않았다는 점을 알려 준다.

② 각 얼굴에 말풍선 속의 대사와 어울리는 표정을 그리게 한다.

③ 내가 만약 나사렛 회당에서 예수님의 말씀을 들었다면 어떤 생각을 했을지, 빈 말풍선을 채우고 자신의 모습을 그려 보게 한다.

— 예수님은 이사야의 글을 읽으시고, 듣고 있던 모든 사람에게 자신이 바로 그 메시아라고 말씀하셨어요. 하지만 사람들은 예수님이 정말 진리의 말씀을 전하는 것인지 확신하지 못했어요.

예수님은 성경이 자신에 대해 기록하고 있다고 말씀하셨어요. 우리도 하나님의 말씀을 믿는다고 하면서 내가 믿을 수 없거나 말도 안 된다고 생각하면 하나님의 말씀을 들으려 하

지 않을 때가 있어요. 하지만 성경에 나온 하나님의 말씀들을 믿음의 눈으로 볼 수 있는 우리가 되길 바라요.

모든 민족에게 복음을 *

[준비물] A4용지, 펜

① 아이들에게 종이를 나누어 주고, 종이를 반으로 접어 한쪽에는 '받아들임', 다른 쪽에는 '거절함'이라고 적게 한다.

② 학교에서 같은 반 아이들에게 복음을 전했을 때, 받아들일 것 같은 친구와 거절할 것 같은 친구의 이름을 각 칸에 적어 보라고 한다.

③ 그렇게 생각하는 이유는 무엇인지 아이들에게 물어본다.

— 같은 반 친구 중 '이 친구는 절대로 교회에 오지 않을 거야'라고 미리 판단해 버리는 경우가 있어요. 오늘 예수님을 만난 사람들도 그랬어요. 그들은 천국이 유대인들만의 것이라고 생각했어요. 그래서 예수님이 이방 사람들에게 기적을 베푸시는 것을 보고 화가 났어요. 그러나 예수님은 모든 민족에게 복음을 전하고, 모든 사람을 자유하게 하려고 이 땅에 오셨어요. 우리도 누가 복음을 받아들일지 받아들이지 않을지 미리 판단하지 말고, 모든 사람에게 복음을 전해야 해요.

믿거나 말거나 *

① 아이들에게 아래의 문장들을 하나씩 읽어 준다.

② 문장의 내용을 믿으면 손을 들고, 믿지 않으면 고개를 흔들라고 한다.

예) · 북아메리카의 숲에는 '빅풋(Bigfoot)'이라는 커다란 원숭이같이 생긴 동물이 살고 있어요.

· 스코틀랜드의 한 호수에는 '네스호 괴물'이라고 불리는 긴 목을 가진 공룡이 살고 있어요.

· 지구의 남반구는 북반구와 계절이 정반대예요. 예를 들면, 여름은 1월, 겨울은 7월이에요.

· 예수님은 하나님의 아들이세요. 예수님은 우리를 죄에서 구원하기 위해 십자가에서 죽으시고 다시 살아나셨어요.

③ 내용 중 믿기 어려운 것은 무엇인지, 왜 믿기 어려운지 물어본다.

④ 눈으로 직접 보지 못하면 믿기 어려운지 물어본다. 친한 친구가 증거를 보았다고 말하면 믿을 수 있을지 물어본다.

— 성경은 예수님에 관해 말해요. **예수님은 성경이 자신에 대해 기록하고 있다고 말씀하셨어요.** 하지만 성경을 본다고 해서 예수님을 믿을 수 있는 것은 아니에요. 때로 예수님이 보이지 않기 때문에 믿기 어려울 때도 있지요. 하지만 지금도 예수님은 살아 계셔서 우리와 함께하고 계세요.

보물 상자

나만의 기록장

[준비물] 학생용 교재 62쪽, 연필이나 색연필

① 아이들에게 주변에 예수님이 하나님의 아들이라고 믿지 않는 사람을 떠올려 보라고 한다.

② 그 사람에게 예수님을 알리는 포스터를 만들어 보게 한다.

③ 그 사람을 위해 기도하고 예수님을 전할 기회를 갖도록 격려한다.

— 성경은 예수님이 하나님의 아들이시며 우리를 위해 죽으시고 부활하셨다는 것을 믿는 사람들만이 구원받는다고 분명히 말해요. 그렇기 때문에 하나님은 예수님을 믿지 않는 사람들에게 예수님을 전하기를 원하세요! 복음을 전하는 것이 어렵다고 느껴질 때는 힘과 능력을 달라고 기도해야 해요. 그래서 많은 사람들에게 기쁜 소식을 전하길 바라요.

메시지 카드

이번 주 메시지 카드로 부모님과 함께 오늘 배운 성경 이야기를 나누어 보라고 한다.

기도

하나님, 우리를 사랑하셔서 하나뿐인 아들 예수님을 보내 주셔서 감사합니다. 말씀을 통해 예수님의 죽음과 부활을 믿는 사람들에게 구원을 주신다는 것을 배웠습니다. 예수님만이 하나님께 갈 수 있는 유일한 길이라는 것을 고백할 수 있는 믿음과 확신을 주세요. 그래서 많은 사람에게 하나님의 복음을 전할 수 있도록 도와주세요. 예수님의 이름으로 기도합니다. 아멘.

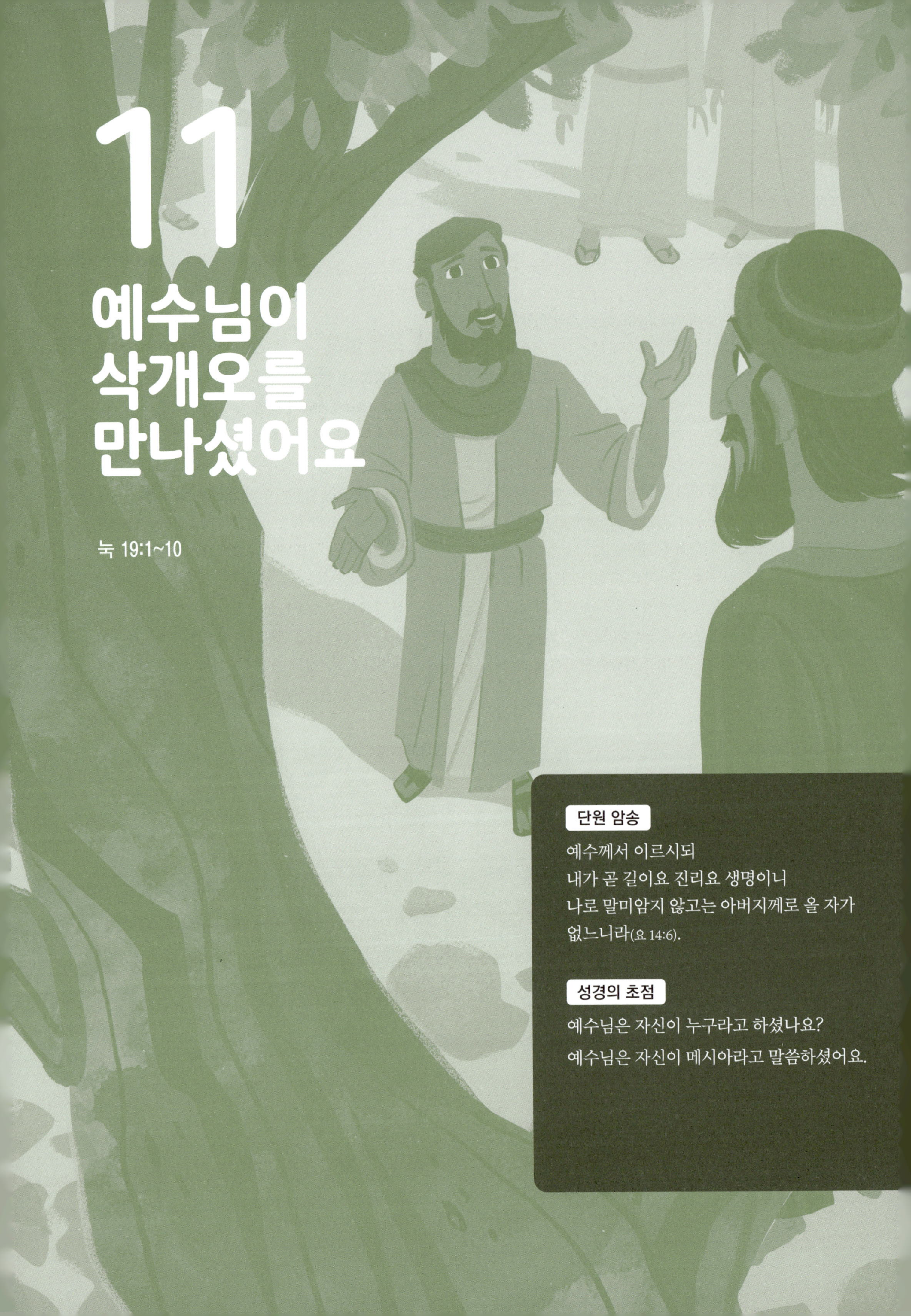

11

예수님이 삭개오를 만나셨어요

눅 19:1~10

단원 암송

예수께서 이르시되
내가 곧 길이요 진리요 생명이니
나로 말미암지 않고는 아버지께로 올 자가
없느니라(요 14:6).

성경의 초점

예수님은 자신이 누구라고 하셨나요?
예수님은 자신이 메시아라고 말씀하셨어요.

본문 속으로

삭개오는 여리고성에 살았습니다. 그는 세리장이었습니다. 삭개오는 로마 정부를 대신해 유대인들에게 세금을 거두는 일을 했습니다. 많은 사람이 삭개오를 알았지만, 그를 싫어했습니다.

성경은 삭개오가 부자였다고 기록합니다. 세금을 거두는 사람들은 흔히 정해진 세금보다 더 많이 거두었다가 남은 것을 가졌기 때문입니다. 삭개오는 탐욕과 부정직함 때문에 사람들에게 멸시를 받았고 '죄인' 취급을 당했습니다. 그리고 삭개오도 자신의 명예보다 재물을 더 소중히 여겼습니다.

삭개오는 자신의 인생이 하루 만에 바뀌리라는 사실을 생각조차 하지 못했을 것입니다. 예수님이 여리고에 오셨을 때 삭개오는 예수님을 보고 싶었습니다. 그러나 사람들이 너무 많아 어깨 너머로 볼 수가 없었습니다. 그는 예수님을 보기 위해 앞으로 달려가서는 돌무화과나무(뽕나무)에 올라갔습니다.

그곳에 이르신 예수님이 나무 위를 보며 말씀하셨습니다. "삭개오야 속히 내려오라 내가 오늘 네 집에 유하여야 하겠다"(눅 19:5). 예수님이 삭개오를 부르셨을 때 사람들이 얼마나 놀랐을지 상상해 보십시오. 여리고에 있는 수많은 사람 중에 하필 삭개오와 같은 죄인의 집에 머무시겠다니요. 예수님을 이해할 수 없었던 사람들은 불평했습니다.

성경은 예수님을 만난 삭개오의 인생이 변화되었다고 말합니다. 삭개오는 자기 재산의 절반을 가난한 자들에게 주겠다고 약속했습니다. 누군가를 속여 이득을 취한 것이 있다면 4배로 갚겠다고 말했습니다. 이제 삭개오는 더 이상 물질에 대한 욕심에 사로잡힌 자가 아니었습니다. 그는 예수님이 훨씬 더 좋은 것을 주셨다는 사실을 깨달은 것입니다. 삭개오의 변화된 마음을 아시는 예수님은 "오늘 구원이 이 집에 이르렀으니"(눅 19:9)라고 말씀하셨습니다.

티칭 포인트

예수님을 만나고 변화되지 않은 채 떠나간 사람은 없었습니다. 여러분이 가르치는 아이들이 그들의 필요를 채우기 위해 이 땅에 오신 예수님을 진정으로 만날 수 있게 해 달라고 기도하십시오. 예수님은 삭개오나 우리처럼 잃어버린 사람들을 찾아 구원하기 위해 오셨습니다. "나는 의인을 부르러 온 것이 아니요 죄인을 부르러 왔노라"(막 2:17). 우리가 회개하고 예수님을 믿으면 그분은 우리를 변화시켜 주십니다.

주 제

예수님을 만난 삭개오는 새롭게 변화되었어요.

가스펠 링크

예수님은 자격 없는 죄인인 우리를 찾아오셔서 죄에서 구원해 주세요.

예수님이 삭개오를 만나셨어요 눅 19:1~10

예수님이 여리고에 가셨어요. 여리고에는 삭개오라는 사람이 살고 있었어요. 삭개오는 세리장이었고 부자였어요. 그는 여리고에 사는 유대인들에게 세금 거두는 일을 책임지고 있었어요. 대부분의 유대인은 세리를 좋아하지 않았어요. 세리들이 정직하지 않았기 때문이에요. 세리장이었던 삭개오도 사람들에게 미움을 받았지요.

예수님이 마을에 오시자 많은 사람이 모였어요. 삭개오는 예수님이 너무 보고 싶었지만, 키가 작았기 때문에 사람들의 어깨너머로 볼 수가 없었어요. 그래서 그는 앞으로 달려가 돌무화과나무(뽕나무) 위로 올라갔어요.

그곳을 지나시던 예수님이 나무 아래 멈추셨어요. 그러고는 고개를 들어 나무 위에 있는 삭개오를 보셨어요.

예수님이 말씀하셨어요. "삭개오야, 어서 내려오너라. 내가 오늘 네 집에서 묵어야겠다."

삭개오는 예수님을 집에 모실 수 있어 너무나 기뻤어요. 그래서 나무에서 얼른 내려왔어요. 그러나 이 모습을 본 사람들은 불평하며 수군거렸어요. "삭개오는 죄인이야! 그런데 예수님은 어떻게 죄인의 집에 가시겠다는 거지?"

예수님을 집에 모신 삭개오가 예수님께 말했어요. "주님, 보십시오! 제가 가진 재산의 절반을 가난한 사람들에게 주겠습니다. 그리고 누군가를 속여 빼앗은 것이 있다면 4배로 갚아 주겠습니다."

예수님이 삭개오에게 말씀하셨어요. "오늘 구원이 이 집에 이르렀다. 이 사람도 아브라함의 자손이다."

그리고 "인자는 잃어버린 자를 찾아 구원하러 왔다"라고 말씀하셨어요. 예수님은 삭개오처럼 하나님을 알지 못하는 사람들을 찾아 그들을 죄에서 구원하기 위해 이 땅에 오셨어요.

●● 가스펠 링크

예수님은 잃어버린 자를 찾아 구원하기 위해 이 땅에 오셨어요. 자격 없는 죄인인 우리를 찾아오셔서 죄에서 구원해 주세요. 예수님은 우리를 위해 십자가에서 죽으셨어요. 예수님은 우리가 회개하고, 그분을 믿고 의지할 때 기뻐하세요.

가스펠 준비

10~20분

*는 선택 활동입니다.

환영

도착하는 아이들을 반갑게 맞이하고 헌금, 출석, QT 등을 확인하며 격려한다. 새 친구가 있다면 소개한다. 편안한 분위기에서 안부를 물으며 오늘의 말씀과 관련된 화제로 이야기를 나눈다. 아이들에게 용돈을 받고 있는지 묻는다. 용돈으로 무엇을 하는지 물어본다. 자발적으로 대화에 참여하도록 이끈다.

예) "부모님께 용돈을 받나요?", "받은 용돈으로 무엇을 하나요?" 등.

— 오늘 우리는 성경 이야기를 통해 돈을 사랑했던 한 사람에 관한 이야기를 듣게 될 거예요. 사실, 그 사람은 돈을 너무 사랑해서 다른 사람의 돈을 빼앗기도 했어요. 그러나 그는 어떤 사람을 만난 후 완전히 바뀌게 되었어요. 누구를 만나서 어떻게 바뀌었을까요?

마음 열기

세금을 내놔라*

[준비물] 장난감 돈

① 아이들을 둥글게 앉히고, 삭개오(술래)를 한 명 뽑는다.
② 나머지 아이들에게 장난감 돈을 나누어 주고, 머리 위로 들게 한다.
③ 삭개오가 된 아이에게 원 바깥을 돌다가 한 아이의 돈을 빼앗아 달아나라고 한다.
④ 돈을 빼앗긴 아이는 일어나 원을 따라 돌며 삭개오를 쫓으라고 말해 준다.
⑤ 삭개오가 원을 한 바퀴 돌아 빈자리에 앉으면, 돈을 빼앗긴 아이가 삭개오가 된다고 알려 준다.
⑥ 삭개오가 중간에 잡히면, 삭개오를 바꾸지 않고 놀이를 다시 시작한다.

— 삭개오는 세금을 걷는 사람이었어요. 그는 자신의 직업을 이용해 사람들에게 세금보다 더 많은 돈을 빼앗았어요. 사람들은 삭개오를 좋아하지 않았고 그와 어울리지 않았어요. 그런 그에게 누군가 찾아오셨어요. 누가 찾아왔을까요? 성경 이야기를 통해 알아보아요.

동전 붙이기*

[준비물] 장난감 동전(인원수만큼), **양면테이프**

① 아이들에게 장난감 동전을 하나씩 나누어 주고, 양쪽에 양면테이프를 붙이라고 한다.
② 벽에 동전을 던져 할 수 있는 한 가장 높이 붙이게 한다.
③ 가장 높은 위치에 동전을 붙인 아이가 이긴다.

TIP 동전이 누구의 것인지 알 수 있도록 동전에 아이의 이름을 써도 좋다.

— 삭개오는 유대인에게 세금을 거둬 로마에 내는 일을 했어요. 그는 여리고성에 예수님이 오셨다는 소식을 들었어요. 하지만 키가 작아 사람들 너머에 계시는 예수님을 볼 수 없었어요. 삭개오는 예수님을 보기 위해 어떻게 했을까요?

교사를 위한 기록장 이 과를 준비하면서 깨닫게 된 묵상을 정리해 보세요.

· 하나님이나 나에 대해 새롭게 알게 된 것은?

· 기억하고 싶은 하나님의 약속은?

· 아이들에게 전하고 싶은 메시지는?

가스펠 설교

15~30분

들어가기

[준비물] 교통안전 조끼

밝은 색의 교통안전 조끼를 착용하고 들어온다.

안녕하세요, 여러분! 오늘은 거리 축제의 마지막 날이에요. 이번 축제는 지금까지 열린 거리 축제 중 최고였어요! 저희 팀이 마련한 부스에 많은 사람이 찾아왔기 때문이에요. 하지만 안타깝게도 어떤 축제든 크고 작은 문제가 있기 마련이지요. 이번 주에 저는 사람들 사이에서 물건을 훔치려는 소매치기를 보았어요! 여러분도 알다시피 그건 정말 나쁜 행동이에요. 사람들을 불안하게 만들지요.

저는 진행 요원들에게 의심스러운 사람이 없는지 주의 깊게 지켜보라고 부탁했어요. 그리고 그들의 보고를 기다리고 있지요. 기다리는 동안 특별한 도둑에 관한 이야기를 들어 보는 것은 어떨까요? 아이들의 대답을 기다린다. 좋아요! 오늘의 성경 이야기는 예수님이 한 사람을 완전히 변화시킨 이야기예요.

연대표

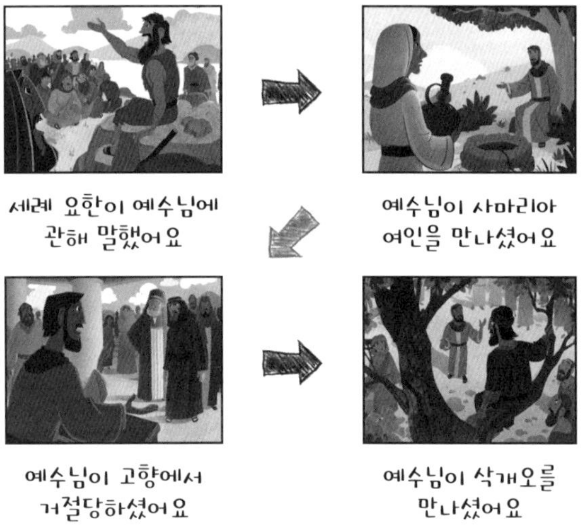

지난주 우리는 예수님이 고향인 나사렛에서 자신이 하나님의 약속을 성취하기 위해 이 땅에 온 메시아라고 말씀하셨을 때 어떤 일이 일어났는지 배웠어요. 사람들은 예수님을 거절하고 그를 믿지 않았어요. 이번 주에는 예수님을 만나 매우 다른 반응을 보인 한 사람에 관해 배울 거예요. 연대표에서 오늘의 성경 이야기를 가리킨다. 오늘의 성경 이야기는 "예수님이 삭개오를 만나셨어요"랍니다.

성경의 초점

성경에는 예수님이 행하신 일과 말씀하신 것들에 관한 기록이 많아요. 성경에서 가장 중요한 내용 중 하나는 예수님이 누구인지에 대한 것이에요. **예수님은 자신이 누구라고 하셨나요? 예수님은 자신이 메시아라고 말씀하셨어요.** 오늘의 성경 이야기를 들으면서 예수님이 말씀하시는 진리에 귀를 기울여 보세요.

성경 이야기

DVD 누가복음 19장 1~10절을 펴고, 설교 영상(지도자용 팩)을 보여 주거나 이야기 성경을 들려준다. 화이트보드에 보드마커로 큰 나무를 그린다. 예배 전에 삭개오를 그린 뒤 오려 두고, 이야기 성경에 맞추어 삭개오가 등장할 때 삭개오 그림을 조작하여 이야기를 이끌어 간다.

삭개오는 도둑이나 다름 없었어요. 소매치기나 도둑처럼 사람들의 돈을 직접 훔치지는 않았지만, 그들과 마찬가지로 자신에게 속하지 않은 돈을 가져갔어요. 삭개오가 하는 일은 사람들에게 돈을 거두어 나라에 바치는 것이었어요. 세금이라고 불리는 이 돈은 로마 정부를 위해 사용되었지요.

삭개오는 사람들이 실제로 내야 하는 돈보다 더 많은 돈을 걷었어요. 그리고 남은 돈을 자신이 가졌지요. 그래서 사람들은 그를 좋아하지 않았어요. 예수님은 삭개오가 죄인인 것을 아셨지만, 그래도 삭개오를 사랑하셨어요.

예수님은 삭개오를 만난 적이 없었지만 이미 그에 관해 모든 것을 알고 계셨고, 그의 집에 머물겠다고 말씀하셨어요. 다른 사람들은 예수님이 삭개오 같은 죄인과 함께 시간을 보내서는 안 된다고 불평했지요. 그들은 모든 사람이 죄인이라는 사실을 깨닫지 못했어요. 예수님은 하나님이 모든 사람을 사랑하신다는 것을 보여 주셨어요.

삭개오가 예수님을 만나자 돈을 가장 사랑하던 삭개오는 이제 예수님을 가장 사랑하게 되었어요. 그는 재산의 절반을 가난한 사람들에게 주고, 누군가를 속여 빼앗은 것이 있다면 4배로 갚겠다고 말했지요. **예수님을 만난 삭개오는 새롭게 변화되었어요.** 예수님은 삭개오의 집에 구원이 이르렀다고 말씀하셨어요. 예수님은 삭개오와 같은 죄인을 구원하시려고 이 세상에 오셨어요!

가스펠 링크

예수님은 잃어버린 자를 찾아 구원하기 위해 이 땅에 오셨어요. 자격 없는 죄인인 우리를 찾아오셔서 죄에서 구원해 주세요. 우리는 모두 죄인이에요. 때때로 우리는 너무도 쉽게 다른 사람들이 우리보다 '더 나쁜' 죄인이라고 생각하곤 해요. 하지만 더 나쁜 죄인은 없어요. 모든 죄는 악하며, 모든 사람은 죄인이에요.

우리가 죄인인 것을 알고 예수님께 죄를 고백하면 하나님은 우리의 죄를 용서해 주세요. 그리고 우리에게 성령님을 보내 주시지요. 그 결과 매일 하나님과 함께하고 하나님을 더욱더 사랑하는 삶으로 변화될 거예요.

찬양

완전한 계획

아브라함과 다윗의 자손 온 세상의 구원자
우릴 구하실 아버지 계획 그 약속을 지키려
하늘로부터 이 땅에 오신 하나님의 아들
하나님 떠난 세상을 회복하실 완전한 계획 예수

우리를 위해 순종함으로 희생의 제물 되신
그 약속 위에 사람이 되어 구유에 누이신 분
하늘로부터 이 땅에 오신 하나님의 아들
하나님 떠난 세상을 회복하실 완전한 계획

하늘로부터 이 땅에 오신 하나님의 아들
하나님 떠난 세상을 회복하실 완전한 계획 예수.

복음 초청

성경과 85쪽 복음 초청 가이드를 이용해서 아이들에게 그리스도인이 되는 법을 설명해 준다. 따로 상담해 줄 사람을 정해 주고 궁금한 점이 있으면 물어보도록 격려한다.

이 시간 예수님을 마음에 모시고 싶은 친구는 함께 기도해요.

기도

하나님, 예수님을 이 땅에 보내 죄인인 우리를 구원하신 하나님을 찬양합니다. 예수님을 믿는 믿음을 선물로 주시고, 우리의 죄를 고백할 수 있는 용기를 주셔서 감사합니다. 예수님을 만나 삶이 변한 삭개오처럼 우리도 만나 주세요. 그래서 이전과는 다른 삶을 살아갈 수 있도록 성령님 인도해 주세요. 예수님의 이름으로 기도합니다. 아멘.

적용

TIP 설교 도입이나 적용으로 활용하거나 영상을 본 뒤 소그룹으로 나누어 풍성한 대화를 이어 갈 수 있습니다.

예수님을 만난 삭개오는 새롭게 변화되었어요. 삭개오가 예수님의 사랑을 경험했기 때문에 변화되었다는 것을 생각하며 함께 영상을 보아요.

적용 예화 영상(지도자용 팩)을 보여 준다.

영상 속에서 어떤 아이가 관대함을 보였고, 어떤 아이가 이기적으로 행동했는지 아이들과 함께 이야기를 나눈다. 왜 어떤 사람들은 관대하고, 어떤 사람들은 이기적인지 물어본다.

예수님이 우리를 위해 죽으시고 다시 살아나신 것을 믿으면, 예수님은 우리의 마음과 생각을 변화시켜 주세요. 새로운 피조물이 되는 거예요! 하나님과 함께하는 새로운 삶의 모습 중 하나는 다른 사람들에게 하나님의 사랑을 보여 주는 너그러운 마음이에요. 우리는 물건이나 돈에 욕심을 부릴 필요가 없어요. 그 어떤 것보다 예수님과 함께하는 삶이 가장 행복한 것임을 알기 때문이에요.

가스펠 소그룹

10~20분

나침반

숫자+숫자=?

[준비물] 학생용 교재 66쪽, 연필이나 색연필

① 숫자와 숫자를 더해 나온 수를 아래 표에서 찾아보게 한다.

② 알맞은 단어를 빈칸에 넣어 요한복음 14장 6절을 완성하게 한다.

③ 자원자를 뽑아 2단원 암송 구절을 외워 보게 한다.

<u>예수</u>(1+1)께서 이르시되 <u>내</u>(3+2)가

곧 <u>길</u>(5+10)이요 진리요 <u>생명</u>(5+3)이니

<u>나</u>(3+10)로 말미암지 않고는

<u>아버지</u>(5+5)께로 올 자가 없느니라

요한복음 14장 6절

1 친구	2 예수	3 성령	4 찬양
5 내	6 기도	7 마음	8 생명
9 뜻	10 아버지	11 거룩	12 곧
13 나	14 힘	15 길	16 능력

— 아직 암송 구절을 다 외우지 못한 사람이 있다면, 포기하지 말고 계속해서 외워 보세요. 하나님께 나아갈 수 있는 길은 오직 예수 그리스도 한 분밖에 없다는 것을 우리에게 말해 주기 때문이에요.

보물 지도

우리가 퀴즈 왕!

[준비물] 성경, 동전 여러 개

① 아이들을 2팀으로 나누고, 각 팀에 번갈아 질문한다.

② 팀별로 함께 성경을 찾아 질문에 답하라고 한다.

③ 정답을 맞히면 동전을 하나씩 얻고, 정답이 나와 있는 성경 구절을 말하면 동전을 하나 더 얻을 수 있다고 일러 준다.

④ 틀린 답을 말하면, 상대 팀이 정답과 성경 구절을 말한 뒤 동전 한 개를 빼앗아 올 수 있다고 말해 준다.

⑤ 더 많은 동전을 가진 팀이 이긴다.

1 삭개오는 어느 도시에 살았나요? 여리고 (눅 19:1~2)

2 삭개오의 직업은 무엇이었나요? 세리장 (눅 19:2)

3 삭개오는 예수님을 보기 위해 어디로 올라갔나요?
돌무화과나무 또는 뽕나무 (눅 19:4)

4 예수님은 어디에 머물겠다고 하셨나요? 삭개오의 집 (눅 19:5)

5 사람들은 왜 화가 났나요?
예수님이 죄인인 삭개오의 집에 머무셨기 때문이다 (눅 19:7)

6 예수님은 누구를 찾아 구원하러 오셨나요? 잃어버린 자 (눅 19:10)

7 예수님은 자신이 누구라고 하셨나요?
예수님은 자신이 메시아라고 말씀하셨어요.

— 성경은 의로운 사람은 하나도 없다고 말해요. 예수님을 만나지 못한 모든 사람은 죄로 인해 잃어버린 사람들이에요. 예수님은 의로운 사람들을 구원하러 온 것이 아니라, 잃어버린 사람들을 찾아 죄에서 구원하러 왔다고 말씀하셨어요.

탐험하기

예수님이 오신 이유

[준비물] 학생용 교재 67쪽, 연필이나 색연필

① 아이들에게 예수님을 만난 삭개오가 새롭게 변화되었다고 말해 준다.

② 미로 찾기를 하며 찾은 초성을 넣어 문장을 완성하게 한다.

③ 예수님이 이 땅에 오신 이유는 무엇인지 이야기를 나눈다.

— **예수님을 만난 삭개오는 새롭게 변화되었어요.** 예수님은 삭개오의 집에 머무셨어요. 이를 본 사람들은 죄인의 집에 머무시는 예수님을 이해하지 못했지요. 하지만 예수님은 자신이 이 땅에 온 이유는 잃어버린 자를 구원하기 위해서라고 말씀하셨어요.

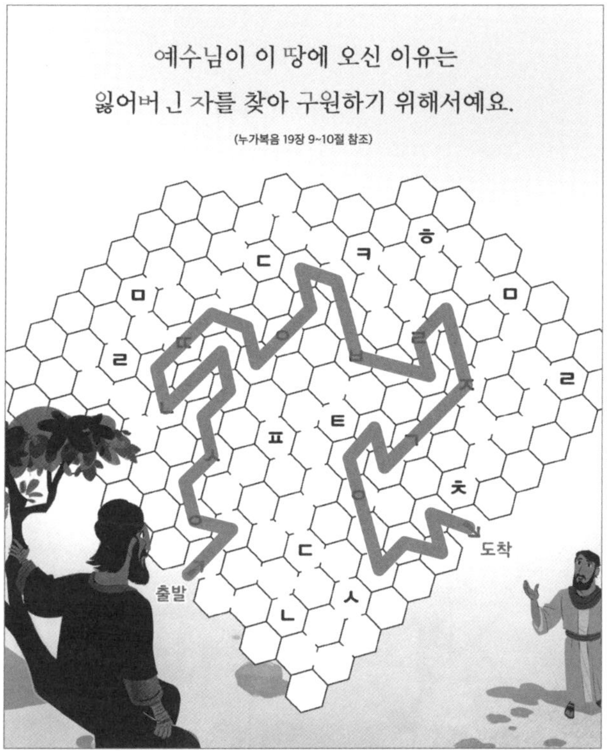

삭개오의 나무 *

[준비물] 전지, 색연필 또는 크레파스

① 전지에 삭개오가 올라간 나무를 함께 그려 보라고 한다.

② 한 명씩 삭개오가 되어 나무 위에 올라가게 한다.

③ 내가 삭개오라면 예수님을 보고 무엇이라고 했을지 말해 보라고 한다.

— **예수님을 만난 삭개오는 새롭게 변화되었어요.** 많은 사람이 하나님과 더 가까워지기 위해 노력해요. 하나님의 사랑을 얻기 위해 좋은 일도 많이 해요. 한편 어떤 사람은 죄에 대한 벌을 피하려고 하나님에게서 도망가기도 하지요. 그러나 죄에서 구원받고 하나님과 올바른 관계를 맺을 수 있는 길은 오직 한 가지뿐이에요. 그 방법은 바로 예수님이에요.

꼭꼭 숨어라 *

① 술래를 한 명 뽑고, 눈을 감고 천천히 숫자 30까지 세라고 한다.

② 술래가 숫자를 세는 동안, 다른 아이들이 예배실 곳곳에 숨게 한다.

③ 숫자를 다 세면, 술래에게 눈을 뜨고 아이들을 찾으라고 한다.

④ 술래가 마지막으로 찾은 아이가 다음 술래가 된다.

⑤ 정해진 시간 안에서 술래를 바꾸며 놀이를 계속한다.

— 이 놀이는 우리에게 익숙하지만, 하나님의 말씀과 관련해 새로운 의미를 생각하게 해요. 예수님은 하나님이 약속하신 구세주예요. 사람들은 예수님이 오시기를 기다리고 또 기다렸지만, 시간이 흐를수록 하나님에게서 멀어졌어요. 예수님은 삭개오를 찾아가셨듯이 우리를 찾아오세요.

보물 상자

나만의 기록장

[준비물] 학생용 교재 68쪽, 연필이나 색연필

① 삭개오처럼 예수님을 만나 변화된 성경 인물에 관해 이야기를 나눈다.

② 예수님을 만나 변화되기 원하는 나의 모습을 그림이나 글로 표현하게 한다.

③ 적은 내용을 함께 나누며 서로 기도하는 시간을 갖는다.

— 예수님은 우리가 죄에서 구원을 받을 수 있는 유일한 길이에요. 예수님을 만나면 우리의 삶은 바뀌게 되어요. 예수님과 함께 예수님을 닮아가는 삶을 살게 되지요. 그리고 하나님은 우리에게 성령님을 보내 주셔서 우리가 더욱더 하나님을 사랑하고, 이웃에게 더 많이 나누어 주며, 하나님께 더 잘 순종할 수 있도록 도와주세요. 매일 매일 조금씩 하나님을 닮아가는 어린이가 되길 바라요.

메시지 카드

이번 주 메시지 카드로 부모님과 함께 오늘 배운 성경 이야기를 나누어 보라고 한다.

기도

하나님, 죄에서 구원받을 수 있는 유일한 길 되신 예수님을 보내 주셔서 감사합니다. 예수님을 만나 삶이 달라진 삭개오처럼 우리도 이전과 다른 삶을 살아가게 해 주세요. 그리고 성령님의 인도하심으로 하나님을 더 사랑할 수 있도록 도와주세요. 날마다 하나님의 말씀에 순종하도록 인도해 주세요. 예수님의 이름으로 기도합니다. 아멘.

하나님이 세상을 이처럼 사랑하사

독생자를 주셨으니

이는 그를 믿는 자마다 멸망하지 않고

영생을 얻게 하려 하심이라

요한복음 3장 16절

예수께서 이르시되

내가 곧 길이요 진리요 생명이니

나로 말미암지 않고는

아버지께로 올 자가 없느니라

요한복음 14장 6절

1권 위대한 복음 복음서	2권 비유와 기적 복음서	3권 십자가와 부활 복음서, 행	4권 복음으로 세워진 교회 행	5권 하나님의 편지 서신서	6권 다시 오실 그리스도 행, 서신서, 계
1단원 성자 하나님	1단원 비유로 말씀하신 예수님	1단원 기름 부음 받으신 예수님	1단원 능력을 주시는 성령님	1단원 인도하시는 하나님	1단원 하나님의 계획
1. 아브라함부터 예수님까지 2. 마리아가 하나님을 찬양했어요 3. 예수님이 태어나셨어요 4. 예수님이 성전에 계셨어요 5. 예수님이 세례를 받으셨어요 6. 예수님이 시험을 이기셨어요	1. 씨 뿌리는 농부 비유 2. 용서할 줄 모르는 종 비유 3. 착한 사마리아인 비유 4. 세 가지 비유 5. 바리새인과 세리 비유 6. 악한 소작인 비유	1. 마리아가 예수님을 예배했어요 2. 예수님이 성전을 깨끗하게 하셨어요 3. 예수님이 제자들과 마지막 식사를 하셨어요 4. 예수님이 체포되셨어요	1. 오순절에 성령이 임했어요 2. 걷지 못하는 사람이 걸었어요 3. 스데반이 고백했어요 4. 빌립이 에디오피아 사람을 만났어요 5. 베드로가 고넬료를 만났어요	1. 바울과 베드로가 만났어요 2. 고린도 교회가 나뉘었어요 3. 야고보가 편지를 보냈어요 4. 서로 사랑해요 5. 바울이 교회 지도자들에게 편지를 보냈어요	1. 복음을 막을 수 없어요 2. 바울이 총독 앞에 섰어요 3. 바울이 로마에 가게 되었어요 4. 감옥에서도 하나님을 찬양했어요 5. 바울이 골로새 교회에 편지를 보냈어요
2단원 우리와 함께 계시는 하나님	2단원 기적을 행하신 예수님	2단원 구원자 예수님	2단원 보내시는 하나님	2단원 변화시키시는 하나님	2단원 하나님을 위해 매인 자들
7. 니고데모가 예수님을 찾아왔어요 8. 세례 요한이 예수님에 관해 말했어요 9. 예수님이 사마리아 여인을 만나셨어요 10. 예수님이 고향에서 거절당하셨어요 11. 예수님이 삭개오를 만나셨어요	7. 예수님이 물을 포도주로 바꾸셨어요 8. 예수님이 하늘의 떡을 주셨어요 9. 예수님이 물 위를 걸으셨어요	5. 예수님이 십자가에 못 박히셨어요 6. 예수님이 부활하셨어요 7. 예수님이 엠마오로 가는 제자들을 만나셨어요	6. 바울이 회개하고 세례를 받았어요 7. 바울이 복음을 전했어요 : 첫 번째 여행 8. 권면의 편지를 보냈어요 9. 바울이 복음을 전했어요 : 두 번째 여행 10. 바울이 유럽에서 복음을 전했어요 11. 바울이 복음을 전했어요 : 세 번째 여행	6. 하나님의 자녀답게 살아요 7. 변화된 마음 8. 성령의 열매를 맺어요 9. 하나님의 전신갑주를 입어요 10. 가진 것을 나누어요 11. 믿음으로 살아요	6. 바울이 빌레몬에게 편지를 보냈어요 7. 바울이 소망을 전했어요 8. 믿음을 지키라고 말했어요 9. 다시 오실 예수님을 기다려요
	3단원 치료하시는 예수님	3단원 부활하신 왕, 예수님			3단원 만물을 새롭게 하시는 하나님
	10. 예수님이 중풍병자를 고치셨어요 11. 예수님이 귀신을 꾸짖으셨어요 12. 예수님이 여자를 고치시고 소녀를 살리셨어요 13. 예수님이 나사로를 살리셨어요	8. 예수님이 제자들에게 나타나셨어요 9. 예수님이 도마에게 나타나셨어요 10. 예수님이 베드로에게 나타나셨어요 11. 예수님이 지상명령을 주셨어요 12. 예수님이 하늘로 올라가셨어요 13. 예수님을 보내신 하나님을 찬양해요			10. 요한의 환상 11. 일곱 교회를 향한 하나님의 경고 12. 보좌에 앉으신 예수님 13. 마라나타 : 예수님! 어서 오세요

※세부 내용은 사정에 따라 변경될 수 있습니다.

신약1 성경의 초점과 주제

1단원 성자 하나님

Q 예수님은 어떤 점에서 특별한가요?

A 예수님은 완전한 하나님이시며, 완전한 인간이세요.

1. 예수님은 아브라함과 다윗의 자손으로 오셨어요.
2. 하나님은 마리아를 예수님의 어머니로 선택하셨어요.
3. 약속하신 메시아로 예수님이 오셨어요.
4. 예수님은 하나님 아버지의 계획을 이루기 위해 이 땅에 오셨어요.
5. 예수님은 죄인들처럼 세례를 받으셨어요.
6. 예수님이 광야에서 시험받으셨어요.

2단원 우리와 함께 계시는 하나님

Q 예수님은 자신이 누구라고 하셨나요?

A 예수님은 자신이 메시아라고 말씀하셨어요.

7. 예수님은 니고데모에게 그가 다시 태어나야 한다고 말씀하셨어요.
8. 예수님은 하늘에서 이 땅으로 오셨어요.
9. 예수님은 사마리아 여인에게 자신이 메시아라고 말씀하셨어요.
10. 예수님은 성경이 자신에 대해 기록하고 있다고 말씀하셨어요.
11. 예수님을 만난 삭개오는 새롭게 변화되었어요.